Trevor Blount

L'essentiel
du Pilates

97-B, montée des Bouleaux, Saint-Constant
Qc, Canada J5A 1A9
Tél.: (450) 638-3338 Téléc: (450) 638-4338
Internet: www.broquet.qc.ca Courriel: info@broquet.qc.ca

Titre original : Pilates basics
Copyright © Octopus Publishing Group Ltd 2004

Traduit de l'anglais par Antonia Leibovici

Pour l'édition française (Québec) :
Copyright © Broquet inc., Ottawa 2008
Dépôt légal — Bibliothèque nationale du Québec
1er trimestre 2008

Imprimé en Chine

ISBN 978-2-89000-927-1

**Catalogage avant publication de Bibliothèque et Archives nationales
du Québec et Bibliothèque et Archives Canada**
Blount, Trevor

L'essentiel du Pilates

(À propos)

Traduction de: Pilates basics.

Comprend un index.

ISBN 978-2-89000-927-1

1. Pilates, Méthode. 2. Exercice. I. McKenzie, Eleanor. II. Titre.

RA781.4.B5614 2008   613.7'1   C2007-941740-X

Pour l'aide à la réalisation de son programme éditorial, l'éditeur remercie : Le Gouvernement du Canada par l'en-
tremise du Programme d'Aide au Développement de l'industrie de l'Édition (PADIÉ ; La Société de Développement
des Entreprises Culturelles (SODEC); L'Association pour l'Exportation du Livre Canadien (AELC). Le Gouvernement
du Québec - Programme de crédit d'impôt pour l'édition de livres - Gestion SODEC.

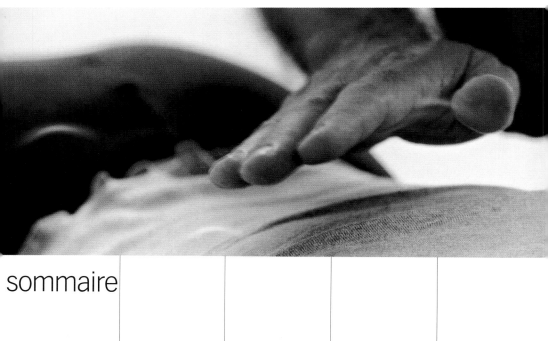

sommaire

L'essentiel
du Pilates

Le Pilates a profité récemment d'un accroissement de sa popularité. Son succès n'est pas dû à un effet de mode mais aux effets positifs ressentis par les personnes l'ayant pratiqué. Leur mal de dos, leur torticolis et leurs muscles froissés appartiennent au passé, car le Pilates a rééduqué leur corps afin qu'il fonctionne en accord avec leur anatomie.

Ce livre a pour sujet l'un des aspects du Pilates, le principe fondamental étayant tous ses exercices : la stabilisation du centre. Il présente une gamme d'exercices se concentrant sur le torse et sur la force des muscles offrant la stabilité nécessaire pour bouger les membres aisément et efficacement. Pour profiter au maximum du Pilates, il est essentiel d'inculquer ce concept de stabilisation au mental et au corps. Vous serez alors prêt à passer à des exercices plus avancés. En les pratiquant, vous constaterez que votre mental se refocalise sur le principe de stabilisation du centre.

Ce livre présente ma vision du Pilates, acquise au cours de mes 15 années de pratique quotidienne et d'enseignement. Avec d'autres instructeurs de Pilates, j'ai enseigné cette

avant-propos

méthode à des gens de tous âges et de tous milieux. À leur tour, ils m'ont appris que le Pilates rééduque le mental et le corps.

Le secret du Pilates est la réflexion, car chacun de ses mouvements est délibéré et exige de la concentration. Cet acte volontaire fait fusionner le mental et le corps et confère un sentiment de bien-être caractéristique. Si vous entretenez votre force et votre souplesse et si vous êtes conscient de votre corps durant l'exercice de Pilates, vous serez moins susceptible de subir des blessures et des problèmes posturaux, et vous vous rétablirez plus rapidement. La pratique régulière est essentielle, car les miracles appartiennent plutôt au domaine du mythe. Le changement réel et durable demande du temps.

Cette attention accordée à la stabilisation du centre distingue cet ouvrage de tous les autres et en fait un outil plus efficace. L'accent est placé sur la pratique et l'expérience. Si vous vous concentrez là-dessus, vous apprécierez le Pilates et en bénéficierez pleinement, comme je l'ai fait.

Trevor Blount

« Ce n'est pas ce que vous faites qui est important, mais la manière dont vous le faites. »

Joseph H. Pilates

Le monde moderne met l'accent sur les loisirs et minimise l'activité physique. Jadis, la vie imposait de marcher beaucoup, les tâches domestiques exigeaient un effort physique. Les divers appareils ménagers et les voitures ont supplanté l'effort physique. Les nombreux changements intervenus au cours de ces 20 dernières années ont réduit au minimum l'exercice du corps à la maison et au travail.

Voilà pourquoi nous devrions faire de l'exercice pendant nos loisirs, en espérant que cette détente nous libérera de la pression permanente des exigences de la vie et atténuera la tension du mental et du corps. Toutefois, le terme « détente » signifie actuellement rester au lit ou regarder la télévision, ce qui n'offre pas de véritable relaxation au corps ni au mental.

1 histoire et philosophie

Les origines du Pilates

Système moderne d'entretien du corps, le Pilates porte le nom de son concepteur, Joseph H. Pilates, bien qu'à l'origine il s'appelât Contrôlogie. Pour son auteur, il s'agissait d'une coordination complète du corps, du mental et de l'esprit. De par son approche holistique de la forme physique, le Pilates diffère des autres exercices physiques modernes, comme l'aérobic.

La vie de Joseph H. Pilates

Joseph H. Pilates est né en 1880, en Allemagne. Enfant, il a souffert d'asthme, de rachitisme et de rhumatismes articulaires aigus, maladies qui ont été la première motivation de la conception de sa méthode. Pour bâtir sa force physique, il s'est concentré sur le sport et est devenu un gymnaste et un skieur chevronné, en plus de pratiquer la boxe et la lutte gréco-romaine. Il s'est aussi intéressé à la physiologie humaine, spécialement à la musculature, qu'il a étudiée en même temps que les pratiques orientales de type yoga. Tous ces intérêts l'ont conduit à concevoir sa propre méthode.

En 1912, Joseph H. Pilates s'est installé en Angleterre, où il a travaillé comme boxeur, artiste de cirque et instructeur d'autodéfense. En 1914, le début de la Première Guerre mondiale a mis fin à sa carrière. En tant que citoyen allemand, il a été interné pendant toute la durée de la guerre, comme ses compatriotes vivant à l'époque en Grande-Bretagne. Cette expérience l'a incité à développer pleinement sa méthode permettant d'aboutir à une bonne forme physique.

Lors de cette période, il a imaginé des exercices de maintien de la santé interne. Il a conçu les prototypes de l'équipement qu'on peut voir actuellement dans les studios de Pilates. Par la suite, il a affirmé que ces exercices lui avaient permis de protéger les prisonniers de l'épidémie de grippe de 1918 ayant coûté la vie à des milliers de personnes rien qu'en Grande-Bretagne, et d'autres maladies provoquées par la vie dans un espace confiné et bondé.

dio de mise en forme physique, qu'ils ont installé dans le bâtiment qui était aussi le siège du New York City Ballet. Plus tard, ils se sont mariés.

Comme en Allemagne, la méthode Pilates a attiré beaucoup de danseurs étoile, car elle est complémentaire à la formation traditionnelle de la danse. Rapidement, des acteurs, des sportifs, ainsi que de riches mondains se sont pressés dans son studio pour apprendre sa méthode unique de fortification du corps sans pour autant développer une musculature impressionnante.

De nos jours, le Pilates est connu dans le monde entier. Il est pratiqué par les gens de tous les milieux, bien qu'il attire toujours particulièrement les danseurs, les acteurs et les personnes pratiquant une forme d'expression physique, qui s'en servent comme élément de leur formation professionnelle, pas seulement comme moyen de garder la forme. La philosophie du Pilates a quelque chose à offrir à tout un chacun, quel que soit son âge et ses capacités physiques, et spécialement à ceux qui préfèrent disposer de force et de tonus sans montrer des muscles protubérants.

La philosophie de forme physique

L'idée que les éléments de la civilisation nuisent à la forme physique est au cœur de la philosophie de Pilates. Pour lui, le mode de vie moderne et les maladies qu'il suscitait, les téléphones, les voitures, les pressions économiques et la pollution environnementale se combinaient pour générer un stress physique et

Une fois la guerre finie, Pilates est retourné en Allemagne, où il a continué à perfectionner sa méthode. Sa rencontre avec un homme qui allait exercer une grande influence sur le monde de la danse moderne, Rudolf von Laban, inventeur d'une méthode de danse appelée labanotation, date de cette époque. Von Laban a incorporé dans son enseignement certains des exercices de Pilates, comme l'ont fait d'autres danseurs novateurs célèbres, tels que Hanya Holm, Martha Graham et George Balanchine.

En plus des danseurs, ses techniques ont intéressé les policiers de Hambourg, qui s'y sont formés. En 1926, Pilates a reçu l'ordre d'entraîner la nouvelle armée allemande. Il a quitté sur-le-champ l'Allemagne pour les États-Unis.

Lors de ce voyage, il a rencontré une infirmière, Clara, avec laquelle il a longuement discuté de santé et de l'importance du bon entretien du corps. À la fin du voyage, ils avaient décidé d'ouvrir ensemble un stu-

mental. Pilates affirmait que ce stress était si accablant qu'au moins une personne par famille souffrait de tension nerveuse. Ses théories, maintenant largement confirmées, étaient en avance sur son époque.

Pilates considérait que, pour atténuer les effets du stress quotidien, les gens avaient besoin d'une réserve d'énergie leur permettant de participer à diverses formes de loisirs, de préférence au grand air. Selon lui, le jeu était crucial dans le combat contre le stress, mais il comprenait aussi que la plupart des gens étaient tellement fatigués qu'ils considéraient une soirée à lire le journal comme le seul loisir envisageable.

Il pensait aussi que les gens vivaient dans un cycle de stress et de tension difficile à briser. Il illustrait ce point en décrivant les effets de brèves vacances. Dans l'idéal, sortir de la routine et de l'environnement familier devrait revitaliser. Toutefois, selon Pilates, le degré de tension subi par beaucoup de gens signifiait qu'ils ne disposaient pas des réserves énergétiques nécessaires pour gérer un changement d'environnement. Donc, au lieu de se sentir revitalisés, ils étaient encore plus stressés. Cette réaction, soulignait-il, n'était pas naturelle, mais induite par les tensions de la vie moderne.

Actuellement, de nombreux articles traitent du stress des vacances et de l'incapacité de certains à se détendre. Qui plus est, pendant les vacances certaines tensions relationnelles ou familiales émergent, car les gens se retrouvent brusquement ensemble dans un environnement étranger pendant des jours ou des semaines d'affilée.

Afin de pouvoir réagir naturellement à la vie et à ses changements, ainsi qu'au stress qu'ils induisent, les gens doivent être en forme, physiquement et mentalement. Les traumatismes et le stress affectent moins les personnes à l'aise dans leur tête et leur corps, conscientes de ce qu'elles peuvent faire pour compenser les effets des événements pénibles. La bonne forme physique est utile pour la gestion du stress. Souvent, les gens fatigués réagissent aux événements d'une manière qui fait monter davantage le stress. La fatigue physique mine l'agilité mentale, gênant son fonctionnement efficace. La relation entre fatigue physique et fatigue mentale est incontestable.

Dans son livre *Return to Life Through Contrology*, Pilates expliquait que la forme physique était l'aboutissement à un corps également développé et son

entretien, associé à un mental solide, capable de pratiquer naturellement et correctement diverses tâches quotidiennes avec plaisir et entrain spontanés. Pour être à la hauteur dans le monde moderne, on doit avoir la forme, mais celle-ci ne peut pas être achetée comme une voiture et achevée par la pensée : on doit faire agir le corps et, dans le cas du Pilates, aussi le mental. La meilleure santé des deux affectera à son tour l'esprit.

L'essence du Pilates

Son approche holistique et sa formation combinée du mental et du corps visant l'alignement postural correct distinguent le Pilates des autres formes d'exercice. Au lieu de cibler les zones à problèmes, le Pilates prend en compte l'ensemble du corps. En le pratiquant, il est important de se rappeler que le processus compte plus que le résultat – l'objectif est de bâtir non un corps socialement acceptable mais un corps naturellement aligné.

Les éléments clés du Pilates

- **allongement des muscles courts et fortification des muscles faibles**
- **amélioration de la qualité du mouvement**
- **concentration sur les muscles posturaux centraux pour stabiliser le corps**
- **placement correct de la respiration**
- **contrôle du plus infime mouvement**
- **compréhension et amélioration des dynamismes corporels**
- **relaxation mentale**

Le système mécanique qui nous permet de bouger – marcher, courir, sauter – dépend de la relation harmonieuse entre le squelette et les muscles volontaires.

L'une des principales fonctions de ces derniers est de protéger le squelette. Nous leur envoyons en permanence des messages via le cerveau, leur enjoignant d'effectuer des mouvements spécifiques.

À mesure que nous vieillissons, nous sommes souvent étonnés de constater que nos muscles ne font plus exactement ce que nous voulons. Toute machine doit être entretenue. D'une manière similaire, la conscience de notre corps en tant qu'organisme exigeant d'être soigné pour durer doit être développée.

Pilates va plus loin et souligne le besoin d'exercices pratiqués avec attention. En contrôlant nos mouvements, nous lions le mental et le corps, concept essentiel du Pilates.

2 muscles et squelette

La théorie des muscles

Lorsque Pilates a exposé sa théorie, il visait principalement le développement égal du corps. Il avait remarqué que souvent les gens préféraient travailler seulement sur certains muscles – par exemple, leurs abdominaux pour avoir un ventre plat. Pilates voulait montrer que ce genre d'action ne favorisait pas la santé musculaire totale, ni même la santé du corps dans son ensemble. Un bon tonus musculaire global est nécessaire pour que tous les organes internes soient en parfait état et à leur juste place dans le corps.

En pratiquant le Pilates, vous obtiendrez le contrôle de tout le corps. La répétition des exercices et leur pratique attentive permettent d'acquérir progressivement une coordination naturelle de vos muscles, normalement associée aux activités subconscientes.

Pilates avait remarqué que tous les animaux possédaient cette coordination et ce contrôle naturels. En regardant un chat s'éveiller, nous constatons qu'au lieu de se lever brusquement il étire d'abord tous ses muscles. Pilates a probablement emprunté cet élément de sa théorie aux praticiens orientaux. De nombreuses postures du yoga, du chi kung ou du tai chi sont nommées d'après les animaux dont elles copient les mouvements. Cette imitation vise l'acquisition de l'équilibre, de la souplesse et de la forme de ces animaux, ainsi que de leur santé et de leur vitalité.

Tous les enfants prennent une posture naturellement détendue. À mesure de la croissance, le corps commence à refléter les tensions de la vie. Une posture incorrecte s'installe sans que nous le remarquions, puis s'élargit aux autres fonctions physiques et diminue notre vitalité. Certains problèmes posturaux sont dus à la profession exercée : tout travail imposant l'utilisation récurrente de mêmes muscles aboutira à un déséquilibre postural. Ce peut être un travail sédentaire, qui favorise une mauvaise posture assise ou qui exige de rester debout pendant de longues des heures, plaçant un stress excessif sur des parties spécifiques du corps.

D'autres problèmes posturaux ont une base émotionnelle. Les gens véhiculant un fardeau émotionnel semblent souvent le porter littéralement sur leurs épaules, physiquement effondrés sous ce poids. Enfin, certains problèmes posturaux sont génétiques.

En plus d'aider à corriger les problèmes posturaux, le Pilates vise aussi à offrir le contrôle du mental. Pilates était persuadé que l'absence d'exercices conscients et réguliers causait la détérioration de la fonction cérébrale. Sa théorie est fondée autant sur la physiologie que sur la philosophie. La première partie de la théorie de Pilates affirme que le cerveau est comparable à un standard téléphonique contrôlant la communication entre le système nerveux sympathique et les muscles. Selon lui, beaucoup de nos activités quotidiennes sont effectuées à partir de ce que nous *pensons* voir, entendre ou toucher, sans prendre en compte les résultats, positifs ou négatifs, de nos actions. Cela fait naître des habitudes et des actions automatiques. D'après la théorie de Pilates, les muscles

Mémoire musculaire

La mémoire musculaire est un aspect de la relation entre le mental et les muscles. Elle joue un rôle essentiel dans l'apprentissage de tout nouvel exercice, et est particulièrement importante pour comprendre le Pilates, dont les exercices visent principalement la rééducation du corps, donc la rééducation de la mémoire musculaire. Les muscles mémorisent les mouvements particuliers, spécialement ceux fréquemment répétés sur une période prolongée. Une fois ces mouvements

obéissent dans l'idéal à notre volonté, qui n'est pas dominée par les actions réflexes. De ce point de vue, Pilates a été fortement influencé par le philosophe allemand Schopenhauer.

Pour résumer, Joseph H. Pilates était persuadé que les gens effectuent trop souvent des mouvements sans y penser consciemment, ce qui n'est bon ni pour le mental ni pour le corps. Le mouvement conscient, quant à lui, se sert des cellules cérébrales, ce qui les maintient en vie. À son tour, ce processus contribue à l'accroissement de l'activité mentale. Pour Pilates, cela expliquait le meilleur moral après la pratique régulière de ses exercices, qui intensifiaient sans à-coups l'apport de sang au cerveau, donc la stimulation de certaines zones précédemment dormantes.

solidement implantés dans la mémoire musculaire et mentale, il est très difficile de les modifier. Par exemple, si vous travaillez à un bureau, vous avez une manière particulière de vous y asseoir, qui n'appartient qu'à vous. La tentative de changer cette posture assise normale pour vous vous fera mal, car les muscles voudront revenir à la position dont ils ont l'habitude. De plus, dès l'instant où vous ne ferez plus attention à la nouvelle posture, votre corps reviendra automatiquement à la précédente. Voilà pourquoi Pilates souligne tellement l'importance de l'exercice conscient – lorsque vous perdez le contrôle de ce que le corps et les muscles font, ceux-ci agissent à leur guise.

Faire travailler les muscles trois fois

Le Pilates met l'accent sur le travail des muscles à travers les trois dimensions. Par exemple, si vous étirez les muscles ischio-jambiers, ceux-ci sont exercés d'abord avec la jambe dans la position parallèle au sol naturelle, puis avec la jambe tournée vers l'extérieur, enfin vers l'intérieur (voir pages 110 et 111).

Types de mouvement musculaire

C'est l'état du muscle qui est important, pas sa taille. Les muscles s'affaiblissent et se raidissent facilement, mais ils peuvent être fortifiés et allongés en utilisant les trois types de contraction suivants. Cet exercice améliorera leur état, ainsi que l'état des articulations.

Il est essentiel d'apprendre à s'exercer de manière détendue, diminuant la tension et rendant les mouvements du corps fluides. Les athlètes en sont de parfaits exemples. Juste avant une course, l'athlète se concentre sur la relaxation, puisque ses résultats dépendent de la liberté du mouvement. Parfois, un effort minimal apporte un gain maximal.

Les trois types de contraction musculaire sont :

1. Isométrique
2. Concentrique
3. Excentrique

La contraction **isométrique** (ci-dessous) est statique. La tension est développée dans le muscle sans que l'articulation bouge. Voir pages 46 et 47 pour l'exercice complet.

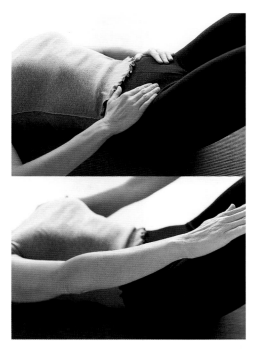

La contraction **concentrique** (ci-dessous) se produit quand le muscle se raccourcit lors du mouvement, comme pour le petit roulement de la hanche. Voir pages 54 et 55 pour l'exercice complet.

La contraction **excentrique** (ci-dessus) allonge les muscles. Ce mouvement ne doit pas être confondu avec l'étirement, car un muscle ne peut pas être contracté et étiré en même temps. Cette contraction excentrique est la plus utilisée dans le Pilates. Voir pages 58 à 59 pour l'exercice complet.

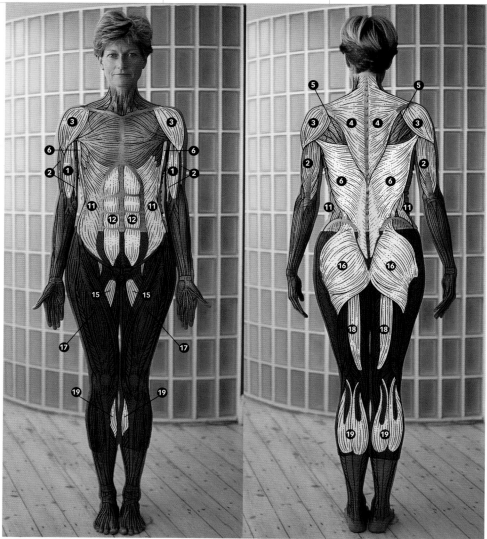

Muscles importants

Les muscles engendrent le mouvement en tirant sur les tendons attachés aux os. La plupart des mouvements du corps utilisent plusieurs groupes de muscles. Le mouvement est aussi généré par une paire de muscles travaillant en opposition mutuelle – l'un tire l'articulation dans une direction, l'autre la fait revenir. Le corps possède des centaines de muscles qui peuvent être contrôlés consciemment. Bien qu'il ne soit pas nécessaire de tous les identifier, il est utile de connaître quels sont les noms et les actions des principaux muscles que vous ferez travailler avec le Pilates.

1. Biceps – face antérieure du haut du bras. Bouge le bras.

2. Triceps – face postérieure du haut du bras. Bouge le bras.

3. Deltoïde – entoure l'épaule et le haut du bras. Bouge le bras en arrière et en avant.

4. Trapèze – descend par la nuque le long des épaules. Tire la tête.

5. Rhomboïde – rattache l'omoplate à la colonne vertébrale. Situé sous le trapèze.

6. Grand dorsal – descend depuis la partie inférieure du torse jusqu'à la région lombaire. Tire les épaules vers le bas et en arrière, le corps vers le haut.

7. Érecteur du dos – (non montré). Tend la colonne vertébrale et garde le corps vertical.

8. Muscle carré des lombes – (non montré) muscle interne profond de la taille. Fléchit le torse latéralement.

9. Muscle transverse de l'abdomen – (non montré) muscle interne profond traversant l'abdomen. Situé sous le petit oblique de l'abdomen (voir 10). Comprime l'abdomen et garde les organes en place.

10. Petit oblique de l'abdomen – (non montré). Situé sous le grand oblique de l'abdomen (voir 11). Traverse horizontalement l'abdomen, le comprime et fait bouger le tronc.

11. Grand oblique de l'abdomen – muscle latéral de l'abdomen. Comprime l'abdomen et bouge le tronc dans n'importe quelle direction.

12. Grand droit antérieur de l'abdomen – descend à la verticale sur l'abdomen. Ce muscle postural tire le bassin vers le haut.

13. Périnée – (non montré) muscle interne formant le plancher pelvien.

14. Psoas iliaque – (non montré) muscle fléchissant la hanche, allant de la partie avant du fémur à la zone lombaire de la colonne vertébrale. Fait avancer la cuise au niveau de la hanche.

15. Grand adducteur – muscle interne faisant bouger la jambe vers l'intérieur.

16. Grand fessier – forme la fesse. Permet de marcher, de courir et de sauter.

17. Quadriceps – descend par le centre de la cuisse. Son mouvement est contraire à celui du muscle ischio-jambier.

18. Ischio-jambier (demi-tendineux) – descend par le centre de la face postérieure de la jambe jusqu'au creux poplité. Tend la cuisse et fléchit la jambe au genou.

19. Gastrocnémien – descend par la face postérieure du mollet et forme la majeure partie de celui-ci. Confère de la force lorsqu'on marche et court.

Le corps comporte plus de 600 muscles rattachés au squelette, comptant pour 35 à 50 % de la masse corporelle. Associés aux ligaments et aux tendons, ils remplissent deux fonctions principales :

1. Les muscles confèrent une stabilité essentielle. Par exemple, les muscles du dos soutiennent la colonne vertébrale, comme les haubans soutiennent le mât d'un navire. Ils lui confèrent stabilité lorsqu'on soulève une charge.

2. Les muscles travaillent lors des tâches les plus ordinaires (marcher, soulever, tirer, etc.). Le processus commence par un message du cerveau, qui descend par la moelle épinière jusqu'à une terminaison nerveuse spinale, puis va le long de ce nerf jusqu'aux muscles appropriés. Ce message dit à ces muscles quoi faire et comment.

Blessures du dos

Le plus souvent, les blessures du dos se produisent tant au niveau des muscles qu'au niveau du squelette ou des nerfs, car ce sont les muscles qui subissent le plus grand stress quotidien. Ceux du dos soutiennent en permanence la colonne vertébrale. Si les muscles sont faibles ou peu développés, presque toute activité est susceptible de provoquer un froissement ou une déchirure musculaire, avec le risque supplémentaire d'endommager une vertèbre, un nerf ou un disque intervertébral.

Le plus grand danger de blessure musculaire vient de l'utilisation des muscles du dos (et de ceux voisins) pour un travail difficile. Bien que leur capacité à effectuer toute tâche sans subir de blessures dépende de leur force et de leur souplesse, la technique de réalisation de la tâche est encore plus importante.

Vous ne pouvez pas faire grand-chose à propos des os et des nerfs avec lesquels vous êtes né, mais vous pouvez influencer le développement des muscles, le poids du corps et sa forme générale. Vous pouvez aussi améliorer votre compréhension de la posture correcte et de la façon dont fonctionne votre corps.

1. Vertèbres cervicales – les 7 premières vertèbres forment une zone très flexible, permettant une large gamme de mouvements de la tête. Toutefois, cette flexibilité les rend particulièrement vulnérables aux blessures.

2. Vertèbres thoraciques – les 12 vertèbres s'articulant aux côtes.

3. Vertèbres lombaires – les 5 vertèbres situées entre les côtes et le bassin sont la centrale énergétique de la colonne vertébrale, car elles assument le poids du torse.

4. Vertèbres sacrées – ces 5 vertèbres sont soudées, formant le sacrum.

5. Coccyx – os situé sous le sacrum, formé par la soudure des 4 dernières vertèbres.

6. Sternum – os plat en avant de la cage thoracique, auquel sont reliées les 7 premières paires de côtes.

7. Côtes – os formant la cage thoracique protégeant certains organes internes.

8. Bassin – ceinture osseuse formée à la base du tronc par le sacrum, le coccyx et 2 les os iliaques.

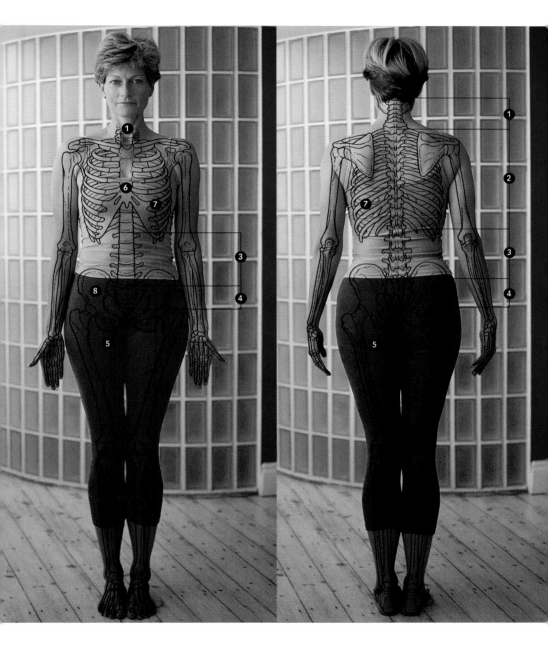

La plupart des gens essayent une nouvelle méthode de traitement ou d'exercice lorsqu'ils cherchent un remède à un trouble spécifique. S'ils s'arrêtent sur une forme d'exercice corporel comme le Pilates, c'est souvent parce qu'ils ont un problème musculo-squelettique : mal de dos récurrent dû à un accident ancien, affection congénitale ayant déformé la colonne vertébrale, telle que la scoliose (voir page 34), ou une lésion de surmenage provoquée par le travail.

Toutefois, l'instructeur de Pilates ne regardera pas uniquement ce problème précis, mais posera des questions sur les antécédents médicaux et le mode de vie, et évaluera l'état mental et émotionnel. Il examinera la posture pour détecter les endroits sous tension et les déséquilibres. C'est seulement après avoir collecté toutes ces informations que l'instructeur de Pilates établira un programme d'exercices spécifique pour la personne concernée, prenant en compte l'état global de son corps.

3 regard de l'instructeur

Choisir un instructeur

Ce livre permet de pratiquer seul, mais les indications d'un instructeur vont au-delà de tout ce que vous pouvez apprendre ici. Par exemple, vous pouvez apprendre seul à jouer au tennis ou au golf, mais avec un entraîneur vous apprendrez des choses que vous n'auriez pas connues autrement. Pour commencer, l'entraîneur vous regardera objectivement. De plus, son œil exercé notera les points où d'infimes changements de la technique auront un grand effet. Au Pilates, où la précision du mouvement est essentielle, seul un instructeur expérimenté pourra remarquer les erreurs et suggérer les adaptations nécessaires.

Comme pour d'autres thérapies, vous devez trouver l'instructeur qui vous met à l'aise qui vous comprend bien, vous et votre état physique. Vous pouvez tomber immédiatement sur la personne appropriée ou en contacter plusieurs avant de trouver celle qui vous convient. La recommandation d'une personne de confiance est un bon point de départ.

Il est aussi important que l'instructeur se soit correctement formé au Pilates pendant 2 ans et qu'il soit accrédité par la Fondation Pilates, organisation indépendante sans but lucratif constituée en 1996, regroupant les instructeurs de Pilates d'Europe. Une recherche sur Internet permettra de trouver des informations sur les instructeurs, leurs studios et leur philosophie.

Où pratiquer

L'endroit idéal pour la pratique est le studio de Pilates. S'il n'en existe pas à proximité, pratiquez chez vous, mais de préférence avec un instructeur. Le seul problème de la pratique à domicile, avec ou sans instructeur, est l'absence des équipements dont dispose un studio.

Le choix du moment de la pratique vous appartient. Certains pensent qu'il vaut mieux s'exercer dans la journée, quand les muscles ont déjà été échauffés. Mais en projetant de pratiquer plus tard, vous risquez d'être pris dans les activités quotidiennes au point de décider de remettre au lendemain la séance, puis au jour suivant, et ainsi de suite. Le plan d'exercices de stabilisation du centre présenté dans ce livre échauffe les muscles, si bien que des échauffements distincts, comme dans le cas d'autres programmes d'exercices, sont inutiles. Si vous êtes le type de personne capable de se lever de bonne heure et de s'exercer avant d'aller au travail, faites-le.

Pratiquer chez soi

Les exercices exigent une totale concentration sur ce que vous faites. Pour cette raison, vous devez toujours vous exercer dans un endroit et à un moment où vous ne serez dérangé ni par les gens ni par les bruits, comme la sonnerie du téléphone. Cela ne signifie toutefois pas que vous devez pratiquer dans un silence absolu – diffusez éventuellement une musique apaisante.

Vous devez aussi préparer un espace où pratiquer. Si vous avez la chance de pouvoir réserver une pièce pour le Pilates, cela vous évitera de préparer chaque fois les lieux pour la pratique. Sinon, choisissez une zone de la maison où vous n'aurez pas à déplacer les meubles quand vous voudrez vous exercer, afin de ne pas vous décourager.

Vous n'avez besoin d'aucun vêtement particulier. Portez des habits larges et confortables, qui ne gênent pas le mouvement, de préférence en fibres naturelles. Assurez-vous que la pièce est assez chauffée, car si vous avez froid les muscles se raidiront automatiquement.

Équipement

Les exercices de ce livre sont délibérément limités pour que vous puissiez les pratiquer chez vous avec un minimum d'équipement. La plupart des exercices sont effectués allongé sur le plancher – achetez un tapis d'exercice dans un magasin de sports. Vous pouvez aussi utiliser une couverture pliée dans le sens de la longueur, assez large pour faire des mouvements d'un côté à l'autre. Un simple tapis ne suffira pas pour protéger des contusions votre colonne vertébrale, et sera inconfortable. Ne pratiquez pas non plus sur un lit, qui n'est pas assez dur.

Vous pouvez aussi acheter des poids de cheville, qui stimuleront les effets de résistance lors de certains exercices pour les jambes.

Équipement du studio de Pilates

Les exercices présentés ici sont effectués au sol. Dans un studio de Pilates, vous trouverez des équipements fondés sur les prototypes construits par Pilates pendant son internement au cours de la Première Guerre mondiale. Ces appareils ajoutent de la résistance aux exercices et vous aident à améliorer votre capacité à contrôler votre corps.

Le Réformateur

Les ressorts tendus de cet équipement multifonctionnel ajoutent de la résistance. Il permet de travailler l'ensemble du corps grâce à la fortification et à l'allongement des muscles. À la différence des appareils à poids des gymnases conventionnels, celui-ci bâtit la force sans gonfler les muscles. (Voir photo page suivante.)

Pour certains exercices, vous aurez besoin d'un oreiller ou d'un coussin. Les personnes souffrant de problèmes cervicaux doivent placer une serviette roulée ou un petit coussin sous leur cou, pour le soutenir. Cette indication est précisée pour chaque exercice concerné. Certains exigent l'utilisation d'une paire d'haltères de 1 à 1,5 kg. Les personnes plus âgées doivent choisir d'abord des haltères légers, les personnes plus jeunes et potentiellement plus en forme peuvent utiliser immédiatement ceux de 1,5 kg. Pour l'aisance du mouvement, mieux vaut utiliser de véritables haltères que des boîtes de conserve.

Le Cadillac

Cet appareil a des barres spéciales utilisées pour travailler sur les vertèbres et la force des muscles. Si vous pratiquez dans un studio, beaucoup des exercices de ce livre seront effectués sur le Cadillac. À la maison, ils peuvent être effectués sur un tapis. Beaucoup d'exercices avancés de Pilates impliquent l'utilisation du Cadillac, mais exigent parfois des années de pratique pour être perfectionnés. (Voir photo ci-dessous.)

La chaise

Il s'agit d'un stepper qui fait travailler tout le corps. Cet appareil exige que vous supportiez le poids de l'ensemble de votre corps lorsque vous l'utilisez, alors que d'autres appareils le supportent partiellement. (Voir photo ci-dessus.)

Durée de l'exercice

Si vous allez dans un studio, on vous conseillera 2 séances hebdomadaires d'environ 1 h 30, bien que ce ne soit pas possible pour tout le monde.

Si vous pratiquez le Pilates chez vous, soyez réaliste à propos du temps dont vous disposez quotidiennement pour vous exercer. Montrez-vous honnête dans votre approche de l'exercice. Les instructeurs d'un club de santé ont récemment identifié un certain nombre de « personnalités d'exercice ». L'une est le « sporadique », qui commence par pratiquer avec fanatisme, tous les jours, parfois plusieurs fois par jour. Il se fixe des objectifs irréalistes et, quand il se rend compte qu'il ne va pas les atteindre, il abandonne complètement l'exercice. Cette approche signifie qu'il ne verra jamais un quelconque résultat réel. La régularité est essentielle. N'oubliez pas que vous êtes

en train de rééduquer votre mémoire corporelle et musculaire. Vous y parviendrez le plus sûrement si vous la rappelez au corps tous les jours, même brièvement, au lieu d'attendre qu'il s'en souvienne d'une semaine sur l'autre.

Lorsque vous êtes encore en train d'apprendre les exercices, la séance prendra plus de temps que prévu. Le plus important est d'effectuer correctement chaque exercice. Dans l'idéal, vous devez effectuer 2 séances de 1 h 30 par semaine, et si possible 15 à 30 minutes d'exercice supplémentaire par jour. Les jours où vous manquerez de temps, faites plus d'exercices en répétant chacun moins. C'est mieux que de faire moins d'exercices en faisant le maximum de répétitions, car là ce sera l'ensemble du corps qui travaillera au lieu d'une seule de ses parties.

La méthode Pilates met l'accent sur l'attention. Vous n'effectuez pas les exercices en tant que simples actions. Vous devez vous concentrer sur le suivi précis des mouvements et être en même temps conscient de ce que vous ressentez physiquement. C'est le contraire de la plupart des exercices conventionnels, qui exigent une répétition fréquente des actions, dépourvue de focalisation sur la conscience de l'ensemble du corps.

De plus, le nombre de répétitions d'un exercice de Pilates est délibérément bas, le maximum étant 10. Certains exercices ne dépassent pas les 5 répétitions. La logique dit que si vous effectuez correctement un exercice vous percevrez le travail du muscle. Si vous continuez à le répéter, vous épuiserez le muscle, chose à éviter. Lorsqu'un muscle est fatigué, vous arrêtez de le faire travailler et accumulez la tension dans d'autres muscles, autrement dit, vous commencez à vous servir des muscles inappropriés.

Quand éviter l'exercice

Comme pour la plupart des formes d'exercice, il y a des moments où vous devez éviter de pratiquer.

– Ne faites pas d'exercices si vous ne vous sentez pas bien, car vous ne serez pas capable de vous concentrer correctement. Mieux vaut utiliser votre énergie pour aller mieux. Employez votre temps d'exercice pour la méditation ou la visualisation créative. Éventuellement, faites-vous couler un bain chaud et versez-y des huiles d'aromathérapie. Si le bain est très chaud, n'y restez pas plus de 15 minutes, car la chaleur fait remonter les toxines à la surface de la peau. Après le bain, prenez une douche pour rincer les toxines. Prenez un bain très chaud seulement si vous ne devez pas ressortir, car il rend somnolent et fait transpirer plus tard. Si vous n'aimez pas les bains chauds, prenez un bain tiède relaxant. Ajoutez-y des huiles ou des sels minéraux, qui détendent les muscles et éliminent les toxines.

– En cas de grossesse, consultez un instructeur expérimenté de Pilates avant de vous exercer, qui pourra vous conseiller un programme plus facile si vous désirez continuer la pratique.

– Si vous avez souffert d'une blessure qui vous fait encore mal, consultez un instructeur de Pilates avant tout exercice. Parfois, mieux vaut laisser reposer la blessure que faire travailler immédiatement la zone affectée. Ce conseil général est donné par tous les instructeurs de Pilates, les kinésithérapeutes et les autres praticiens des thérapies physiques.

– De même, si vous prenez des analgésiques forts, attendez l'atténuation de la douleur avant de pratiquer. Les analgésiques masquent la douleur, et vous risquez de ne pas vous rendre compte de la douleur additionnelle causée par les mouvements de l'exercice, susceptible de provoquer d'autres dommages. Si l'on en croit le vieil adage « On n'a rien sans rien », la plupart des gens pensent qu'ils doivent souffrir en s'exerçant pour que cela leur soit bénéfique, alors que c'est justement le contraire. Vous ne devez pas forcer sur vos muscles au point d'avoir mal. Ne confondez pas la douleur avec la sensation de contraction du muscle, spécialement quand vous commencez un programme d'exercices. Ne poussez pas votre corps au-delà de ses limites : si un exercice devient inconfortable, arrêtez-le.

– Ne faites pas d'exercices après un repas lourd, car vous risquez de fortes crampes d'estomac.

– De même, ne faites pas d'exercices après avoir bu de l'alcool, car vous ne serez pas dans l'état d'esprit nécessaire à la concentration, outre les autres séquelles.

– Si vous suivez un traitement médical, consultez votre médecin avant d'entamer toute nouvelle forme d'exercice. Parlez aussi à votre instructeur de Pilates de toute affection ou blessure spécifique.

Marc Aurèle, empereur romain et philosophe du IIe siècle, écrivait : **« *Le corps doit être stable et exempt de toute irrégularité, qu'il soit au repos ou en mouvement.* »** Cet idéal est difficile à atteindre dans le monde contemporain. Nous nous attendons à des résultats maximaux dans tous les domaines de la vie, pourtant nous avons rarement le temps d'examiner l'efficacité de nos efforts. Que nous travaillons ou que nous nous détendons, notre corps ne semble jamais à l'aise.

Beaucoup d'adultes sont obligés de rester assis pendant de longues heures au travail, souvent devant un ordinateur, posture qui n'a rien de naturel. Si, par exemple, vous observez les enfants (voir photos), vous remarquerez qu'ils détestent rester assis, préférant courir et se rouler par terre. Cela dure jusqu'à l'âge scolaire, où ils sont obligés de rester assis, preuve d'un comportement sage. Très souvent, les habitudes posturales, bonnes ou mauvaises, sont assimilées pendant l'enfance.

4 posture

Bonne posture

On nous dit souvent que nous devons améliorer notre posture, pourtant la plupart des gens ne savent pas vraiment ce qu'est une bonne posture. À l'époque victorienne, on appréciait tellement le dos droit qu'on imposait le port d'une planche dans le dos aux jeunes filles. Cette idée de la bonne posture a subsisté jusqu'à la moitié du XXᵉ siècle. C'est seulement grâce à l'intérêt croissant pour le Pilates, la technique Alexander et la méthode Feldenkrais que les gens ont appris que la bonne posture signifie bien plus qu'un dos droit.

La bonne posture équilibre les membres, permettant que des mouvements comme la marche ne soient pas effectués de manière saccadée. Chaque personne a sa propre façon de marcher et se conformer à un idéal unique n'est pas confortable. Cependant, la prise de conscience de la posture du corps ajoute synergie et contrôle à un mouvement par ailleurs inconscient.

L'observation de la marche offre souvent une idée de la personnalité et des émotions des gens. Celles-ci semblent interagir avec les muscles qui facilitent le déplacement et avec les muscles de la partie supérieure du corps, afin de créer une démarche personnalisée. Avec le temps, cette posture devient la norme. La personne peut ne pas se rendre compte de la tension des muscles, qui tirent et tordent en permanence le squelette, ainsi que de leur raidissement. De même, elle ignore que cette utilisation incorrecte des muscles et des articulations mène à une perte d'énergie et à la fatigue.

De nos jours, la plupart des gens marchent très peu, ce qui rend encore plus importante leur démarche. Comment approche-t-on la posture assise ? D'habitude, sans trop y penser. Lorsqu'on s'assoit, on tend à se tenir mal et à comprimer la colonne vertébrale, qui se courbe alors artificiellement raccourcissant les muscles. Au fil du temps, ces muscles raccourcis résistent à notre tentative de les allonger, ce qui suscite une gêne. En rééduquant le corps grâce à la pratique des exercices de stabilisation du centre du Pilates, vous pourrez adopter plus aisément une bonne posture assise.

Rester assis au travail et à la maison n'est qu'une partie du problème de cette mauvaise posture. La conscience du fonctionnement des muscles et du squelette et leur rééducation sont la seule solution durable aux

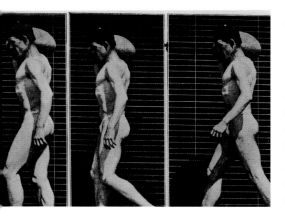

Les muscles et les ligaments, fournissant mouvement et stabilité, enveloppent les vertèbres et les disques intervertébraux. Une mauvaise posture – par exemple, voûté sur un bureau ou affalé dans un canapé – incite le centre des disques à pousser contre l'anneau fibreux et suscite une douleur.

Problèmes posturaux

La posture du fœtus dans la matrice est son point de départ dans la vie. Si vous regardez l'image d'un embryon, vous verrez que la colonne vertébrale suit la forme de la lettre « C ». Après que le bébé a quitté l'espace confiné de la matrice, sa colonne vertébrale s'allonge progressivement et deux nouvelles courbures s'y développent. La première se trouve au niveau du cou, la courbure cervicale, permettant de tenir la tête droite. Lorsque le bébé apprend à ramper, puis à marcher, un autre creux se forme au niveau du bas du dos, la courbure lombaire. La troisième courbure de la colonne vertébrale, thoracique, est convexe. Beaucoup de problèmes peuvent affliger la colonne vertébrale, dont les plus répandus sont la cyphose, la scoliose et la lordose. Dans certains cas, la déformation est génétique, dans d'autres, elle est causée par une posture déséquilibrée. Ces affections peuvent être corrigées en pratiquant les exercices Pilates.

Cyphose

La cyphose – courbure naturelle à convexité posté-rieure – se situe entre les omoplates. Si elle s'accroît, le dos s'arrondit. Une cyphose trop prononcée peut

problèmes posturaux et aux difficultés qu'ils suscitent. Par exemple, les gens doivent être conscients de la manière dont le dos fonctionne pour résister aux différents efforts qu'ils lui imposent. Les trois courbures naturelles de la colonne vertébrale – deux concaves et une convexe – l'aident à résister à une plus grande force que si elle était parfaitement droite. Une courbure naturelle du bas du dos soutient la zone lombaire et prévient les blessures. Ces courbures naturelles jouent le rôle d'un amortisseur. Si la colonne vertébrale était parfaitement droite, elle serait extrêmement vulnérable aux chocs.

La colonne vertébrale est formée de vertèbres osseuses, séparées par des disques ayant un centre gélatineux entouré d'une structure fibreuse annelée.

être confondue avec les épaules arrondies, lorsque le dos est voûté d'un côté à l'autre plutôt que d'avant en arrière. Les adolescents arrondissent souvent les épaules lorsqu'ils adoptent une posture affalée – cette « cyphose posturale » n'est pas une déformation spinale. La véritable cyphose est parfois associée à l'ostéoporose et apparaît souvent chez les femmes ménopausées.

La physiothérapie est le traitement classique. Le recours à la chirurgie est rarement conseillé. La tendance à l'accentuation de la cyphose peut être héréditaire. Les familles concernées doivent faire examiner régulièrement leurs enfants, afin que ceux-ci puissent débuter un programme d'exercices préventifs dès que possible.

Scoliose

La scoliose est une courbure latérale de la colonne vertébrale, impliquant souvent une rotation de celle-ci. Plus fréquente chez les femmes, la tendance à la scoliose peut être génétique. La scoliose fonctionnelle peut être causée par des actions répétitives, comme le port de sacs lourds sur l'épaule. Dans la majorité des cas, toutefois, la cause est indéterminée. Cette « scoliose idiopathique » apparaît généralement dans l'enfance ou à l'adolescence.

Une scoliose grave peut affecter la position des côtes, et donc la position naturelle des organes internes. Dans ce cas, l'aspect de la personne et sa santé générale montrent des séquelles. Parmi les risques pour la santé suscités par une scoliose grave, on compte les problèmes neurologiques, causés par la pression sur les nerfs, et les problèmes pulmonaires. Une courbure latérale du bas du dos affecte aussi le haut de la colonne vertébrale à mesure qu'une compensation s'installe.

Lordose

Un certain degré de courbure du bas du dos est parfaitement normal, mais si un creux excessif se forme au niveau lombaire, il s'agit d'une lordose. Cette courbure convexe de la colonne vertébrale tend à faire paraître l'estomac plus proéminent qu'il ne l'est en réalité, donnant à la personne une apparence obèse. Chez certains, cette courbure est flexible.

Chacun de ces problèmes posturaux peut être traité par des exercices Pilates, surtout si un instructeur expérimenté conçoit un programme approprié et surveille les progrès de la personne en s'assurant qu'elle ne va pas au-delà de ses limites. Par exemple, beaucoup de gens ont constaté que leur scoliose, la plus problématique des anomalies spinales, était atténuée par la pratique du Pilates. Bien entendu, cela n'arrive pas en semaine mais se produit grâce à une pratique régulière pendant plusieurs années.

Position debout

La plupart des gens trouvent cette position plutôt malaisée. Souvent, quand nous nous tenons debout, nous ne savons pas quoi faire de notre corps. Nous

mais une fois qu'elle sera intégrée, vous vous fatiguerez moins vite, vous vous sentirez plus svelte et vous serez plus détendu dans votre environnement.

Comment se tenir debout

Les 6 points suivants vous permettront de vous tenir debout confortablement, muscles relaxés.

1. Tenez-vous droit, pieds écartés de la largeur des hanches.
2. Assurez-vous que vos jambes sont dirigées vers l'avant.
3. Vos jambes doivent être tendues sans que les genoux soient bloqués.
4. Vos bras tombent naturellement le long du corps.
5. Percevez votre poids supporté par le centre de chaque pied.
6. N'oscillez pas en arrière, placez votre poids sur les talons ou sur la partie charnue des pieds.

Position assise

Comme la position debout, la position assise est souvent mal adoptée. Nous nous asseyons en équilibre sur une fesse, puis sur l'autre. Nous croisons les jambes ou en plaçons une pliée sous le corps. Nous nous tortillons sur notre siège, essayant d'arriver à une position confortable. Lorsque nous finissons par la trouver, cela ne dure pas longtemps. Nous essayons des solutions comme les supports lombaires sur les chaises et les sièges de voiture. Mais ceux-ci ne conviennent pas à la plupart des gens, car ils sont

plaçons notre poids sur une jambe, fléchissant l'autre, puis nous inversons. Dans la tentative de rester droit, nous bloquons les genoux et poussons le bassin en avant, créant un creux exagéré dans le bas du dos. En même temps, nous ne savons pas quoi faire de nos bras. Nous les croisons devant nous ou derrière le dos, ou mettons nos mains sur les hanches. C'est ce sentiment d'inconfort qui fatigue et fait chercher un lieu pour s'asseoir. C'est comme si le sens d'un centre de gravité manquait au corps. Si nous le trouvons cependant, il nous maintiendra dans une position équilibrée et confortable.

Le Pilates enseigne une manière permettant de se reposer dans cette position, muscles relaxés et équilibre centré. Il faudra certes un peu de pratique avant que cette posture devienne une seconde nature,

généralement trop bas pour bien soutenir la zone lombaire et tendent à la pousser en avant, ce qui à son tour pousse aussi les abdominaux et les organes internes en avant.

Lorsque vous cherchez une chaise qui soutient le dos correctement et permet d'adopter une bonne posture assise, vérifiez les points suivants :

1. Vous devez pouvoir être assis confortablement avec toute la longueur des cuisses sur le siège.
2. Vous devez pouvoir placer les pieds à plat sur le plancher.
3. Le dossier doit arriver au niveau des omoplates. (Le dossier de beaucoup de sièges de bureau est soit trop bas, soit trop haut.)

N'oubliez pas de vous asseoir en distribuant uniformément votre poids, genoux légèrement écartés pour le supporter, pieds joints.

Position allongée

Nous passons environ un tiers de chaque journée en position allongée. Nous n'y pensons pas vraiment, car nous dormons la plupart de ce temps sans être conscients de la posture que nous prenons pendant notre sommeil. La position allongée devrait être la position de repos suprême, mais nous arrivons à nous contorsionner de diverses manières qui raidissent les muscles et entravent la circulation du sang.

Positions du sommeil

Beaucoup de gens dorment sur le ventre, position incorrecte qui ne soutient pas la colonne vertébrale. De plus, lorsqu'ils dorment dans cette position, ils plient une jambe, tordant ainsi la colonne vertébrale. Pour respirer correctement en étant allongé sur le ventre, la tête est tournée sur le côté, ce qui non seulement tord le cou, mais aussi bloque ses nerfs. Une sensation d'engourdissement ou de fourmille-ment apparaît pendant le sommeil ou au réveil, susceptible d'engendrer une scoliose fonctionnelle (voir page 34).

Les meilleures positions pour le sommeil sont sur le dos ou sur le côté. Si vous souffrez d'un problème du bas du dos, il est utile de dormir avec un oreiller entre les genoux, astuce conseillée aussi en cas de grossesse, période où il est extrêmement difficile de trouver une position confortable pour dormir et où des troubles circulatoires apparaissent. Similaire-ment, si vous souffrez d'une lordose (voir page 34), un oreiller placé sous les cuisses ou sous les fesses offre plus de confort pendant le sommeil. Certains affirment ne pas pouvoir dormir avec un oreiller entre ou sous leurs jambes, mais dans un bref laps de temps ils arrivent à en apprécier les bienfaits et oublient même sa présence.

Lits et oreillers

Les matelas durs ne sont pas bons. Préférez un matelas ferme assez élastique, qui s'adapte aux contours du corps. Le nombre d'oreillers utilisés dépend de leur fermeté, mais un ou deux sont la norme. Si l'oreiller est très ferme, un seul devrait suffire. Il est important que le cou soit parfaitement soutenu par l'oreiller. Ainsi, il ne doit pas y avoir d'espace entre lui et le cou, susceptible d'imposer un plus de tension aux muscles cervicaux.

En débutant l'apprentissage du Pilates, vous écoutez l'instructeur, puis suivez ses indications. Pendant une certaine période, vous pratiquez exactement comme il vous l'a appris. Avec le temps, vous abordez la deuxième étape en étant certain d'avoir si bien assimilé les leçons que vous pouvez les améliorer en y ajoutant vos propres idées. L'expérimentation est nécessaire à l'évolution théorique et pratique, mais elle est efficace seulement lorsque le concept de base est parfaitement compris.

Lors de l'apprentissage, les leçons sont intégrées par le mental d'une manière particulière. Leur interprétation sera probablement subtilement différente de la pratique correcte. L'instructeur devra alors vous rappeler la méthode initiale, la seule donnant de bons résultats.

Souvenez-vous : revenez toujours aux bases avant d'avancer.

5 stabilisation du centre

stabilisation du centre

La stabilisation du centre est le point focal du Pilates. C'est l'établissement d'un centre puissant grâce à la fortification des muscles, en essence, la création d'un anneau musculaire solide entourant le milieu du tronc, dont les muscles sont vitaux pour la santé de l'ensemble du corps. La consolidation de ces muscles protège la colonne vertébrale et les organes internes. Elle confère aussi la possibilité de contrôler la partie supérieure et la partie inférieure du corps, tout en stabilisant la colonne vertébrale.

Cette stabilisation implique la pratique d'une série d'exercices enseignant les bases de la technique Pilates. L'élève doit les exécuter toujours précisément. La série d'exercices présentés dans ce chapitre fait travailler les principaux muscles contribuant à une posture correcte, ce qui, à son tour, a une influence sur le reste du corps et le mental.

Grâce à ces exercices, le rétablissement après une blessure et la gestion de la plupart des affections musculaires se passent mieux. Ils renforcent et étirent les muscles et, ce faisant, détendent l'ensemble du corps. Cette approche holistique du traitement des blessures et des affections musculo-squelettiques constitue la méthode Pilates.

L'instructeur de Pilates évalue chaque personne en fonction de son problème personnel. Les muscles et les articulations travaillent de concert, en harmonie. Par exemple, si une personne vient dans un studio de Pilates avec un problème au genou, l'instructeur ne se contentera pas d'observer le fonctionnement de celui-ci, mais évaluera aussi le comportement de tous les muscles et articulations de la jambe, ainsi que des muscles soutenant la colonne vertébrale. Dans certains cas, la douleur dans le genou naît d'un mauvais fonctionnement du bas du dos – c'est une « douleur irradiée », véhiculée par les nerfs. Exercer uniquement le genou ne suffit donc pas, vu que le problème est suscité par le bas du dos.

Après une blessure, le corps s'adapte et compense le problème en modifiant son alignement et son équilibre naturels. Les exercices de stabilisation du centre aident à rétablir l'alignement et la posture normales. De plus, ils stabilisent les muscles posturaux centraux, les préparant à agir sur l'ensemble du corps. Pour tous les exercices, la stabilisation de la zone lombaire de la colonne vertébrale – le bas du dos –, est vitale. Les exercices visent à raffermir les muscles soutenant cette zone, pour qu'ils la protègent et la

minaux sur les organes se trouvant plus bas. La fortification de cette zone est importante pour tous, hommes et femmes, bien que les bénéfices soient plus manifestes chez les femmes, dont le plancher pelvien est parfois affaibli par l'accouchement. Si, en contractant ces muscles, vous les sentez vibrer, vous saurez que vous les utilisez réellement. Tout votre corps aura l'impression de soulever un poids.

Pratique des exercices de stabilisation du centre

La concentration pendant la pratique est un élément essentiel du Pilates, qui le distingue des exercices conventionnels. Un certain temps est nécessaire pour y parvenir. Si vous pratiquez la méditation, vous connaissez assurément la concentration sur la respiration. En exécutant les exercices Pilates, surtout au début, concentrez-vous sur ce que fait et éprouve chaque partie de votre corps, en sachant que tout mouvement débute par un message du cerveau. Grâce à une concentration correcte, vous saurez rapidement si votre corps est à l'aise ou non. Votre capacité à vous concentrer s'accroîtra à mesure que tout mouvement incorrect sera pris automatiquement en compte.

soutiennent. On ne souligne jamais assez l'importance du plancher pelvien.

Au Pilates, les exercices du plancher pelvien ont une fonction légèrement différente, car ils sont les principaux facteurs de la stabilisation interne favorisant le travail des grands muscles. Le contrôle du plancher pelvien grâce à la respiration correcte est le point de départ de tous les exercices de ce livre. Il est préférable de prendre le temps de les assimiler correctement avant de passer à la suite. Plus vous vous familiarisez avec eux, plus vous pourrez vous concentrer sur les exercices suivants.

Dans la cavité pelvienne, le plancher pelvien et la paroi pelvienne forment une sorte de cylindre de muscles. Leur force ou leur faiblesse affecte le fonctionnement de cette région, des jambes et, pour finir, de la partie supérieure du corps. Des muscles du plancher pelvien forts permettent de résister à la traction de la gravité et diminuent la pression exercée par les organes abdo-

Vous devez aussi apprendre à vous exercer de manière relaxée. Le terme « relaxation » a une signification très précise au Pilates : sans tension inutile et sans laisser le corps s'affaler. Pour y parvenir, vous devez vous focaliser sur la partie du corps qui est exercée et vous adapter afin que le corps prenne la

incorrect

incorrect

correct

position correcte de départ. En vous préparant à un exercice, laissez aller d'abord la tension des muscles. L'exercice sera ainsi bien plus efficace. Vous devez aussi penser à la coordination de vos mouvements. Comme pour tous les exercices, il faut tenir compte de nombreux détails, spécialement si vous essayez de suivre les instructions d'un manuel.

Une solution est d'enregistrer sur cassette les étapes de chaque exercice de stabilisation du centre. Plus vous pratiquez correctement, plus les exercices deviennent familiers et la coordination, meilleure.

Le processus semble un peu difficile, mais c'est une question de pratique. N'oubliez pas, la plupart des exercices Pilates doivent être effectués lentement, avec des mouvements fluides. Ces derniers accroissent la capacité à contrôler les muscles appropriés et à diminuer la tension à mesure que votre corps se familiarise avec la séquence de mouvements. Si vous pratiquez lentement tous les exercices pour commencer, il vous sera plus facile de combiner concentration, relaxation et coordination.

Colonne vertébrale neutre

En pratiquant les exercices Pilates, vous travaillez avec ce que les instructeurs appellent « une colonne vertébrale neutre ». Essentiellement, il s'agit du maintien de la courbure naturelle de votre dos pendant un exercice. Pour déterminer si vous y parvenez, allongez-vous sur le plancher, genoux fléchis. Si vous remontez le bassin en l'inclinant, la courbure naturelle de votre dos appuyé contre le plancher s'efface. Si vous abaissez le bassin, votre bas du dos s'arque trop. La position neutre de la colonne vertébrale est celle où le bassin est équilibré, de sorte que la courbure lombaire ne s'efface pas quand vous appuyez le dos contre le plancher. Vous devez réserver un peu de temps pour vous exercer à cette position correcte, car chaque corps est différent. Avant de commencer les exercices, vous devez connaître deux autres éléments clés du Pilates : la respiration correcte et le rôle du plancher pelvien.

Respiration correcte

Lors de l'inspiration, l'oxygène est aspiré dans les poumons, d'où il passe dans le sang, qui le distribue dans tout le corps. Tout ce qui limite le volume d'oxygène inspiré affecte donc la santé de toutes les cellules. Accroître l'apport d'oxygène rend plus serein, améliore le fonctionnement cérébral, la circulation sanguine et la coordination physique. La respiration est très importante pour le Pilates, qui se concentre sur la relaxation et la coordination du mental et du corps.

De nombreux facteurs de la vie moderne entravent l'accroissement de cet apport d'oxygène. L'un des principaux est la pollution de l'air, car lorsque la qualité de l'air est mauvaise, la qualité de l'oxygène inspiré l'est aussi. Cet air manque par ailleurs d'ions négatifs, qui améliorent la santé physique et mentale. Parmi les autres facteurs, on trouve le tabagisme, la position assise excessive, le stress de longue durée. Bien que les gens soient généralement conscients que le tabac nuit à la respiration, ils tendent à oublier que la mauvaise posture et le stress y contribuent aussi. Tout cela débouche sur une mauvaise santé globale.

La respiration est l'une des quelques fonctions du corps autant volontaire qu'involontaire. La plupart des gens respirent sans y penser, pourtant tous disposent de la capacité de contrôler leur respiration; si la respiration s'accélère, on peut apprendre à la ralentir. La manière de respirer affecte la santé et les émotions. La plupart d'entre nous utilisent seulement la partie supérieure des poumons et tendent à respirer superficiellement, ce qui n'apporte pas assez d'oxygène. Par ailleurs, nous inspirons d'une manière qui dilate la poitrine et fait monter les épaules, car nous ne nous servons pas des bons muscles. Ce type de respiration n'utilise pas le diaphragme, qui pourtant dilate et contracte les côtes pour permettre à l'oxygène de remplir entièrement les poumons.

Éliminer le stress en respirant

Si vous avez peur ou paniquez, on vous dira probablement de prendre une respiration profonde. Le contrôle de la respiration est une forme de maîtrise des symptômes du stress. La méditation, le yoga et nombre de techniques de gestion du stress, comme l'entraînement autogénique et le Pilates, se concentrent sur la respiration consciente. Lorsque vous vous sentez stressé, votre corps envoie un courant d'adrénaline à travers le système nerveux sympathique, causant le changement de rythme respiratoire et cardiaque. La respiration devient plus rapide et plus superficielle, et l'oxygène inspiré est insuffisant. Pour compenser, vous respirez encore plus vite. Dans certains cas, ce cycle aboutit à une hyperventilation, qui à son tour causera étourdissement ou évanouissement.

Techniques respiratoires orientales

La technique de respiration est mise en avant dans des pratiques comme le yoga et le chi kung. Là, les élèves respirent profondément à partir du diaphragme, dilatant l'abdomen sur l'inspiration et ralentissant ainsi le rythme respiratoire. Lorsqu'ils débutent, on demande aux élèves de compter leur nombre d'expirations par minute, qui tourne autour de 13 à 15 pour une respiration normale. En pratiquant la respiration profonde, ce chiffre tombe à 3 ou 4 expirations par minute. Les maîtres de chi kung et de yoga arrivent à une seule expiration par minute. La technique de respiration du Pilates est cependant très différente.

La technique de respiration du Pilates

Le Pilates enseigne la respiration latérale, qui évite de dilater l'abdomen. Son objectif est d'utiliser les muscles thoraciques ou dorsaux pour dilater latéralement la cage thoracique afin d'offrir aux poumons la place pour se gonfler. Chaque fois que les muscles abdominaux inférieurs sont étirés, le bas du dos n'est plus soutenu et devient donc vulnérable, raison pour ne pas gonfler d'air l'abdomen.

La respiration du Pilates aide à améliorer non seulement la respiration, mais aussi la santé physique et mentale. Elle fait partie intégrante de chaque exercice. Le suivi des instructions de respiration associées à chaque exercice permettra d'obtenir un maximum de résultats de la pratique. N'oubliez pas que le Pilates place l'accent sur l'expiration.

Exercices respiratoires du Pilates

Inspirez par le nez et expirez par la bouche. Si vous n'en avez pas l'habitude, exercez-vous avant de suivre les instructions de respiration. N'oubliez pas que chaque mouvement doit être pratiqué sur l'expiration. Lorsque vous expirez, le diaphragme monte en exerçant une traction sur les muscles du ventre et en faisant s'allonger la colonne vertébrale. Ce mouvement crée un centre fort, essentiel pour le processus de stabilisation. Pour finir, lorsque vous effectuez un exercice, ne détendez pas les muscles du ventre sur l'inspiration, car cela risque de vous faire perdre l'alignement postural correct et de vous conduire à utiliser les muscles inappropriés.

Même si la coordination de la respiration avec d'autres éléments des exercices Pilates vous pose problème, ne retenez jamais votre souffle, ce qui impose une certaine pression aux poumons et au cœur. Mieux vaut inspirer d'une manière naturelle.

objectif

– Coordination de la respiration avec le contrôle des muscles.

préparation

Allongez-vous sur le tapis d'exercice.

Gardez les pieds écartés de la largeur des hanches et les genoux pliés.

Placez vos mains sur votre abdomen, entre les hanches, bout des doigts se touchant.

Les mains n'appuient pas.

Inspirez par le nez.

1 respiration
2
3

à surveiller

– Ne bougez pas la colonne vertébrale ni le bassin.

Partez de la même position que pour l'exercice de respiration.

Levez les bras tendus, mains à hauteur des genoux.

Sur l'**expiration**, sentez la descente de vos muscles abdominaux dans la cavité pelvienne.

Continuez consciemment ce processus et tirez-les vers la colonne vertébrale.

Répétez de 6 à 10 fois.

Inspirez par le nez. Sur l'**expiration**, percevez la traction des muscles abdominaux vers la colonne vertébrale.

Ce faisant, abaissez les mains et les bras vers le plancher. Visualisez-les en train d'appuyer sur un objet flottant sur l'eau, rencontrant ainsi une sensation de résistance. Terminez avec les mains sur le plancher.

Répétez de 6 à 10 fois.

4

variante

objectif

– Activation progressive en profondeur des muscles du plancher pelvien.

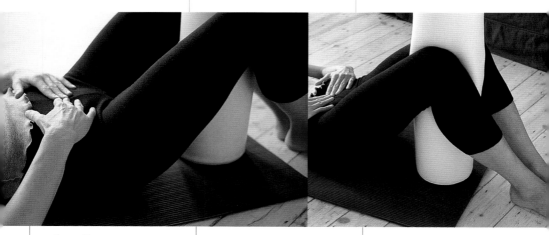

préparation

Allongez-vous, pieds joints et genoux fléchis.

Mettez vos mains sur votre abdomen et placez un coussin entre vos genoux.

Inspirez une petite quantité d'air par le nez.

En expirant, contractez et remontez le plancher pelvien, en comprimant en douceur les fesses et en serrant le coussin entre vos genoux.

Maintenez cette position pendant **3 à 6 cycles respiratoires**.

Si vous avez l'impression que 3 cycles respiratoires constituent une durée excessive, contractez sur l'**expiration** et relâchez sur l'**inspiration**.

Répétez de 6 à 10 fois.

1 plancher pelvien 2 3

à surveiller

– Ne bougez pas le bassin ni la colonne vertébrale, afin
de maintenir leur position neutre.

Placez le coussin à mi-hauteur de la face interne des cuisses,
inspirez une petite quantité d'air par le nez, puis **répétez** les
étapes 2 et 3.

Placez le coussin entre le haut des cuisses, **inspirez** une
petite quantité d'air par le nez, puis **répétez** les étapes 2 et 3.

Déplacer le coussin modifie la manière dont vous utilisez les
muscles du plancher pelvien. Quand le coussin se trouve
entre le haut des cuisses, vous percevez le travail des muscles
de la partie inférieure de l'abdomen.

variante

objectif

– Fortification de la partie inférieure de l'abdomen et mobilisation du bas du dos.

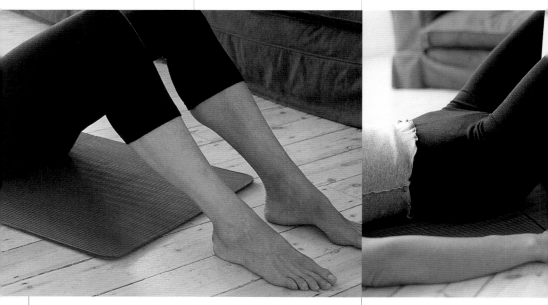

préparation

Allongez-vous sur le plancher, genoux fléchis. Les pieds et les genoux sont écartés de la largeur des hanches.

Vos bras reposent le long du corps, paumes à plat sur le plancher.

Inspirez par le nez. Remontez votre plancher pelvien et rentrez les muscles du bas du ventre.

Placez un coussin entre vos cuisses, juste au-dessus de vos genoux.

Comprimez doucement le coussin entre vos jambes, moins fort que pour l'exercice du plancher pelvien (voir pages 48 et 49).

1 inclinaison pelvienne 2

à surveiller

– Cet exercice vise l'utilisation de vos muscles
  plutôt que de vos articulations.

En expirant, inclinez le bassin vers le haut, une vertèbre à la fois, jusqu'à ce que la zone lombaire de la colonne vertébrale se retrouve à plat sur le plancher.

Restez immobile, en maintenant votre plancher pelvien et vos abdominaux.

Inspirez une petite quantité d'air.

En expirant, abaissez lentement votre colonne vertébrale jusqu'à la position neutre, tout en maintenant votre plancher pelvien et vos abdominaux.

Répétez de 6 à 10 fois.

3   4   5

objectif

– Fortification des muscles abdominaux et ischio-jambiers, et mobilisation des zones thoracique et lombaire de la colonne vertébrale.

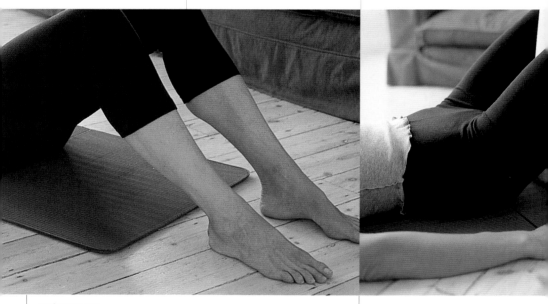

préparation

Allongez-vous sur le plancher, genoux fléchis écartés de la largeur des hanches, tout comme les pieds.

Vos bras reposent le long du corps, paumes à plat sur le plancher.

Inspirez, remontez votre plancher pelvien et rentrez les muscles du bas du ventre.

Placez un coussin entre vos cuisses, juste au-dessus de vos genoux.

Comprimez-le doucement entre vos jambes

1 montée pelvienne   2

à surveiller

– Ne courbez pas la zone lombaire de la colonne vertébrale, ne laissez pas vos genoux s'écarter davantage – allongez consciemment la courbure.
– En soulevant et en abaissant la colonne vertébrale, imaginez toujours que vous la détachez du tapis comme une bande adhésive.
– Le coccyx est le dernier élément de la colonne vertébrale à se poser sur le tapis.
– Faites travailler votre plancher pelvien et vos muscles abdominaux. Ne les laissez pas se détendre avant d'avoir achevé les répétitions.

En expirant, inclinez le bassin vers le haut, en soulevant les vertèbres du plancher une à une.

Vous reposez maintenant sur vos vertèbres thoraciques, juste au-dessous des omoplates.

En maintenant cette position, **inspirez** de nouveau.

En expirant, abaissez lentement votre colonne vertébrale sur le plancher, en faisant attention à poser les vertèbres une à une.

Répétez de 6 à 10 fois.

3

4

objectif

– Allongement et fortification
des muscles grand oblique et
petit oblique.

préparation

Allongez-vous, genoux joints pliés, tout comme les pieds.

Placez vos mains derrière votre tête, coudes pointant sur les côtés.

Inspirez, remontez votre plancher pelvien et rentrez le ventre.

En expirant, amenez vos jambes à mi-hauteur sur un côté du corps.

Gardez la position et **inspirez**.

Expirez et ramenez vos jambes au centre.

1 petit roulement de la hanche 2

Répétez le mouvement sur l'autre côté.

Répétez de 3 à 6 fois sur chaque côté.

à surveiller

– Cet exercice fait travailler vos muscles
   abdominaux. N'oubliez pas de contracter le
   grand oblique en expirant.
– N'essayez pas de pousser excessivement vos
   jambes vers le plancher.

3

objectif

- Fortification des muscles abdominaux et étirement des muscles fléchisseurs des hanches et du bas du dos.

préparation

Allongez-vous, genoux et pieds parallèles écartés d'un peu plus que la largeur des hanches.

Placez vos mains derrière votre tête, coudes pointant sur les côtés.

Inspirez, remontez votre plancher pelvien et rentrez les muscles du bas du ventre.

En expirant, amenez vos jambes sur un côté. Lors de ce mouvement, la plante de vos pieds s'éloignera du plancher. Poussez très doucement vos jambes aussi loin sur le côté que possible sans décoller votre dos du tapis.

Gardez la position et **inspirez**.

1roulement de la hanche, 2pieds écartés

En expirant, ramenez vos jambes vers le centre, en vous servant de vos muscles abdominaux.

Répétez le mouvement sur l'autre côté.

Répétez de 3 à 6 fois sur chaque côté.

à surveiller

– Imaginez une corde attachée à votre nombril tirant votre colonne vertébrale vers le plancher, ou une main posée sur votre hanche vous poussant vers le bas.

3

4

objectif

– Fortification du muscle carré des lombes, des muscles grand oblique et petit oblique de l'abdomen et du muscle transverse de l'abdomen.

préparation

Allongez-vous sur le côté, votre corps en ligne droite. Votre oreille, le centre de votre épaule, votre hanche et votre cheville doivent être alignés. Vos pieds pointent vers le bas, sans être fléchis vers l'avant. Le bras du côté sur lequel vous êtes allongé est levé au-dessus de la tête, paume tournée vers le haut. Reposez la tête dessus. Placez votre autre bras plié devant vous, paume sur le plancher.

Assurez-vous que vos épaules et votre cou sont détendus. Étirez vos jambes loin de la taille, allongeant ainsi celle-ci.

Remontez le plancher pelvien et tirez les muscles du ventre vers la colonne vertébrale.

Inspirez.

En expirant, levez les jambes à quelque 10 cm du plancher.

Ce faisant, imaginez que vos chevilles sont attachées ensemble.

1 double montée de la taille 2

Inspirez et abaissez lentement les jambes sur le plancher.

Répétez de 6 à 10 fois sur chaque côté.

à surveiller

– N'arquez pas le bas du dos, ne tordez pas le bassin ni les épaules.
– Ne tassez pas la taille.
– Ne détendez pas votre plancher pelvien.

3

objectif

– Fortification des muscles grands
dorsaux, du muscle carré des
lombes, des muscles grand oblique
et petit oblique de l'abdomen et du
muscle transverse de l'abdomen.

préparation

Partez de la même position que pour la double montée de la
taille (voir page 58), mais au lieu de placer l'autre bras devant
votre corps, posez-le le long du corps, main sur la cuisse.

Pliez la jambe devant vous, pieds fléchis.

Faites descendre vos épaules vers votre hanche et tendez les
doigts vers le genou.

Allongez la taille en poussant légèrement le talon vers le bas.

Inspirez en faisant monter le plancher pelvien, en rentrant
les muscles de la partie inférieure de l'abdomen et en
contractant les muscles de la taille et de la fesse.

En expirant, levez la partie
supérieure de la jambe à la
hauteur de la hanche.

Ce faisant, faites glisser les
doigts le long de la jambe
vers le genou.

1 montée unique de la taille 2

Inspirez et abaissez la jambe, en faisant monter ainsi le plancher pelvien et les abdominaux.

Répétez de 6 à 10 fois sur chaque côté.

à surveiller

– N'arquez pas le bas du dos, ne sortez pas de l'alignement.

3

objectif

– Mobilisation de la zone thoracique de la colonne vertébrale et allongement des muscles abdominaux.

préparation

Allongez-vous sur le ventre en posant le front sur le sol – sur une serviette pliée, si vous préférez.

Placez vos mains au-dessus de la tête, paumes contre le sol et bout des doigts dirigé en avant. Assurez-vous que vos coudes sont tendus sur les côtés au niveau des épaules.

Inspirez, remontez le plancher pelvien et rentrez le ventre.

En expirant, levez peu à peu la poitrine du plancher, les coudes restant en place.

Gardez la position et **inspirez**.

1 le cobra

2

Sur l'**expiration** suivante, abaissez la poitrine une vertèbre à la fois, sans contracter les omoplates.

Répétez de 6 à 10 fois.

à surveiller

– Assurez-vous que vos coudes restent sur le plancher.
– Ne levez pas les côtes flottantes du plancher et ne comprimez pas le bas de la colonne vertébrale ni le cou.
– Allongez toujours la colonne vertébrale.

3

objectif

– Fortification des muscles du bas du dos.

préparation

Partez de la même position que pour le Cobra (voir page 62), mais tendez les bras le long du corps, paumes tournées vers le haut.

Assurez-vous que vos épaules sont d'équerre et ne touchent pas le tapis d'exercice.

Inspirez, remontez le plancher pelvien, rentrez les abdominaux et comprimez les fesses.

En expirant, gardez le cou droit, levez les épaules et tirez les grands dorsaux vers les hanches. Soulevez ensuite du plancher le sternum et les mains.

Vérifiez que vos mains sont au niveau du sommet des fesses et que votre tête est à environ 10 cm du plancher. Vous devez être en équilibre sur les côtes, sur le pubis et les os iliaques. Les abdominaux doivent être soulevés.

1 extension du dos 2

Inspirez et redescendez sur le plancher, en faisant revenir les épaules à leur position de départ.

Répétez de 6 à 10 fois.

à surveiller

– Ne faites pas ressortir les abdominaux et ne les soulevez pas trop haut.
– N'arquez pas le cou.
– Ne levez pas les jambes.

3

objectif

– Fortification des triceps.

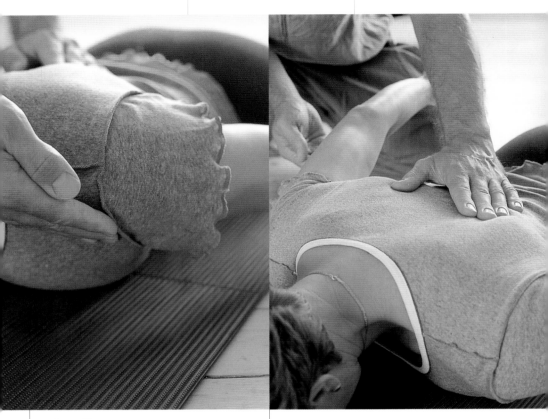

préparation

Partez de la même position que pour l'extension du dos (voir page 64).

Inspirez, remontez votre plancher pelvien, rentrez les abdominaux et comprimez les fesses.

En expirant, tirez les grands dorsaux vers les hanches, comme précédemment.

Levez les bras en faisant travailler les triceps, jusqu'à ce qu'ils soient un peu plus haut que le sommet de vos épaules.

Gardez la position et **inspirez**.

1 montée du bras 2

En expirant, reposez vos bras et vos épaules sur le tapis d'exercice, en faisant travailler les triceps.

Répétez de 6 à 10 fois.

à surveiller

– Ne faites pas ressortir vos abdominaux.
– Ne contractez pas les omoplates en les rapprochant.
– Gardez le front sur le plancher.

3

objectif

– Étirement du bas du dos.

préparation

Mettez-vous à quatre pattes, en vous assurant que vos genoux sont écartés de la largeur des hanches.

Inspirez, remontez le plancher pelvien et rentrez le ventre.

En expirant, faites reculer vos fesses aussi loin que possible, en abaissant la poitrine jusqu'aux genoux.

Soyez certain de garder les bras tendus et de faire reculer les fesses sur une ligne droite.

1 position de repos   2

Reposez-vous dans cette position pendant **5 cycles respiratoires**.

3

à surveiller
– Si vous souffrez d'un problème de genoux, ne pratiquez pas cet exercice.

objectif

– Augmentation de la flexibilité spinale.

préparation

Commencez de nouveau à quatre pattes, mains alignées avec les épaules, hanches au-dessus des genoux.

Assurez-vous que votre dos est plat (ni arrondi ni cambré).

Vérifiez que la tête et le cou sont alignés avec le dos, parallèle au plancher.

Inspirez et percevez la respiration arrivant entre vos omoplates.

Remontez le plancher pelvien et rentrez le ventre.

En expirant, rentrez le coccyx, poussez sur la paume des mains et élevez le sternum en rentrant le menton, puis baissez la tête.

Votre dos doit maintenant être arrondi. Maintenez cette position et **inspirez**.

1 le chat

2

En expirant, revenez à la position de départ en inversant la séquence. Ramenez la tête à sa position parallèle au plancher, puis le menton et en dernier le coccyx.

Répétez de 3 à 6 fois.

à surveiller
– Ne laissez pas vos abdominaux se détendre.
– Concentrez-vous sur l'allongement de la courbure.

3

objectif

– Étirement du muscle érecteur du dos.

préparation

Asseyez-vous sur le tapis d'exercice, jambes tendues devant vous. Levez le genou droit et placez la main droite derrière votre dos. Reposez le coude gauche sur votre genou droit.

Inspirez et faites monter le plancher pelvien en rentrant les abdominaux et en contractant les fesses. Allongez en même temps la colonne vertébrale en écartant les vertèbres les unes des autres.

En expirant, tournez la taille vers la jambe levée.

Inspirez et allongez la colonne vertébrale.

Expirez et tournez-vous un peu plus.

1 torsion assise

2

Inspirez lorsque vous revenez à la position de départ.

Répétez 3 fois sur chaque côté.

à surveiller

– Gardez le menton en ligne avec le sternum.
– Maintenez le bras de soutien tendu.
– Ne vous affaissez pas sur le bas du dos.

3

objectif

– Fortification du muscle
transverse de l'abdomen et du
muscle grand droit antérieur de
l'abdomen.

préparation

Allongez-vous sur le plancher, genoux
fléchis écartés de la largeur des hanches,
tout comme vos pieds.

Placez vos mains derrière la tête, coudes
pointant sur les côtés.

Inspirez, remontez le plancher pelvien,
rentrez les abdominaux et comprimez les
fesses.

En expirant, imaginez une corde vous tirant
vers le haut depuis le centre de votre poitrine.

1 ontée abdominale 2

Levez la tête du tapis d'exercice. Vos épaules se soulèvent un peu, mais la base des omoplates reste toujours en contact avec le tapis.

Inspirez en redescendant les épaules et la tête et en continuant à faire travailler les abdominaux.

Répétez de 6 à 10 fois.

à surveiller

– Ne bougez pas le bassin, n'aplatissez pas la colonne vertébrale.
– En levant la tête, le cou ne doit pas se fléchir en avant.
– Soutenez le poids de votre tête avec vos mains.

3

4

objectif

– Fortification des muscles grand oblique et petit oblique de l'abdomen.

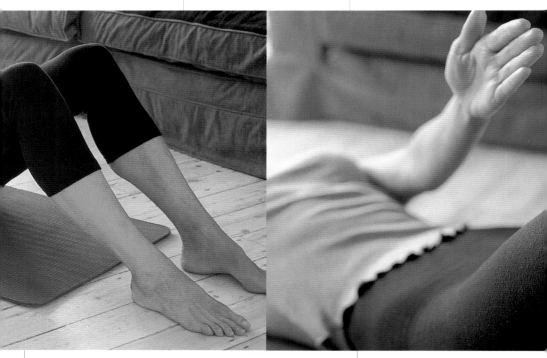

préparation

Allongez-vous sur le dos, genoux fléchis. Placez un coussin entre vos jambes.

Mettez une main derrière la tête et tendez l'autre bras en travers de votre corps vers la cuisse opposée.

Inspirez, remontez le plancher pelvien et rentrez les abdominaux.

En expirant, imaginez une corde qui tire en avant votre sternum tout en faisant tourner votre corps sur le côté.

Si vous commencez avec la main droite placée derrière votre tête et la main gauche tendue vers la jambe droite, tournez vers la droite.

1 torsion abdominale

2

Inspirez et revenez
à la position de départ, en
faisant toujours travailler
les abdominaux.

Répétez de 3 à 6 fois sur
chaque côté.

à surveiller

– Ne penchez pas le cou en avant.
– Ne laissez pas vos jambes s'écarter, n'oubliez pas de
  serrer le coussin.
– Ne levez pas les hanches du plancher.
– Gardez le cou détendu.

3

objectif

– Fortification du muscle transverse de l'abdomen et du muscle grand droit antérieur de l'abdomen.

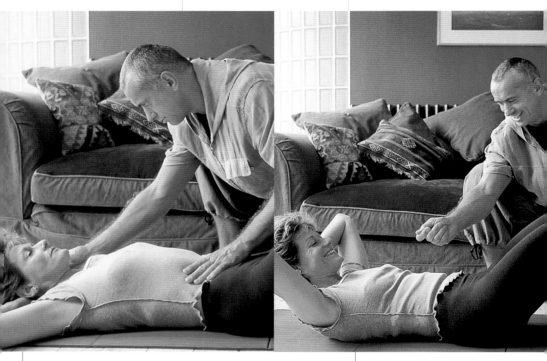

préparation

Partez de la même position que pour la montée abdominale (voir page 74) mais genoux et pieds joints, mains derrière la tête. Le coussin n'est pas nécessaire lors de cet exercice.

Inspirez, remontez le plancher pelvien et rentrez les abdominaux.

Expirez et soulevez le sternum comme précédemment.

1 roulement abdominal des jambes 2

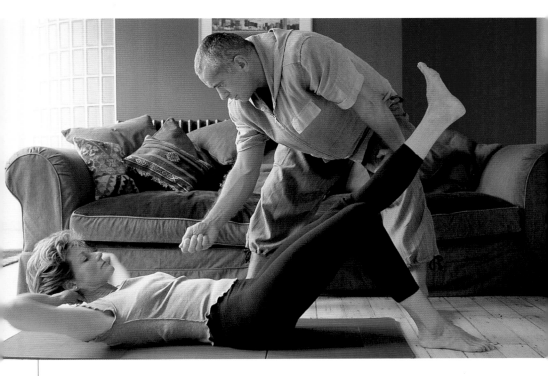

Levez simultanément une jambe à partir du genou.

Inspirez et ramenez la tête et la jambe à la position de départ. Répétez ce mouvement avec l'autre jambe.

Répétez de 3 à 6 fois sur chaque côté.

à surveiller

– Ne bougez pas le bassin.
– N'aplatissez pas le bas du dos.
– Ne penchez pas le cou en avant.
– Gardez votre cou détendu.

3

Pour de nombreuses personnes, la partie supérieure du corps, dont la poitrine, le dos, le cou et les épaules, est la zone où les effets de la mauvaise posture sont les plus perçus, ainsi que les plus visibles.

En général, la poitrine tend à être fermée et ses muscles, raidis. Cette situation affecte la posture et voûte les épaules, suscitant des problèmes dans le haut du dos. Dans bien des cas, la posture assise accentue ce problème. Trop souvent, nous nous affalons sur un siège ou sommes voûtés au-dessus d'un bureau, laissant les épaules s'arrondir et la colonne vertébrale se courber en avant. Dans ces positions, la tête, mal soutenue, impose une tension aux muscles du cou. À son tour, cette tension provoque maux de tête et raideurs.

Les exercices suivants inversent ce processus en ouvrant la poitrine et en allongeant les muscles des épaules, permettant ainsi à la tête de rester droite sans effort.

6 partie supérieure du corps

Faire travailler la partie supérieure du corps

En l'absence d'un centre fort (ce que soulignent les exercices Pilates de stabilisation du centre), la partie supérieure du corps tend a s'affaisser vers l'avant, tirée par la gravité et privée d'une fondation solide. Pour compenser cette situation, nous fortifions et allongeons les muscles de cette zone afin de rester à la verticale. Peu surprenant que la partie supérieure du corps soit la zone où s'accumule la plupart de notre tension. **Nous devons relâcher cette tension, ouvrir et étirer la partie supérieure du corps, tonifier et fortifier les muscles pour qu'ils nous soutiennent sans effort.**

Pour respirer correctement, il est important d'ouvrir la poitrine. Celle-ci renferme les poumons et le cœur, qui, s'ils n'ont pas assez de place, ne peuvent pas fonctionner à leur capacité optimale. Les personnes souffrant de problèmes respiratoires comme la bronchite et l'asthme ont souvent une poitrine très fermée, car ces affections tendent à susciter une posture de compensation. Lorsque les voies respiratoires sont bloquées, l'effort exigé par la respiration génère une énorme tension dans le haut du dos et une contraction de la poitrine, qui, à son tour, raccourcit les muscles et les raidit. Même quand les gens ne souffrent pas de problèmes respiratoires, les muscles de leur poitrine sont raides de par une mauvaise posture.

Les exercices Pilates de ce chapitre visent spécifiquement la poitrine et la ceinture scapulo-humérale,

ouvrant celles-ci et éliminant ainsi la tension du haut du dos et des épaules. Ils impliquent l'utilisation d'haltères. Vous pouvez effectuer les exercices sans haltères, cependant ceux-ci ajoutent un plus de résistance et allongent davantage les muscles. Les personnes souffrant d'ostéoporose doivent pratiquer ces exercices sans haltères.

Les haltères légers utilisés au Pilates ne gonflent pas les muscles, car le nombre de répétitions de chaque exercice est limité. Les exercices dessinent plutôt davantage vos muscles, particulièrement ceux du haut des bras, zone qui perd du tonus avec l'âge, quel que soit le poids du corps.

L'articulation scapulaire est très vulnérable aux blessures, car sa gamme de mouvements est très large. (C'est pourquoi on ne doit jamais soulever un enfant en le tenant par son bras.) Comme cette articulation peut bouger dans plusieurs directions, un arrangement compliqué de tendons et de muscles la garde en place. Chez les personnes jeunes, l'articulation est bien lubrifiée, les muscles et les tendons l'entourant sont mobiles, car les bras et les épaules sont utilisés régulièrement. À mesure de l'avancée en âge, on tend à limiter leur utilisation, sauf si on pratique un sport ou une profession exigeant le contraire. Également, les blessures aux mains ou aux avant-bras et les affections comme le rhumatisme chronique polyarticulaire font que les bras bougent moins. Toutes ces situations finiront par rendre les articulations raides et les muscles faibles. **L'un des buts des exercices Pilates est la fortification**

des muscles faisant travailler les articulations, sans cependant imposer un stress à celles-ci.

Alors que le cou est un élément important de la partie supérieure du corps, de plus très délicat, il n'est pas inclus dans ce chapitre. Le cou a particulièrement tendance à emmagasiner la tension et doit aussi s'efforcer de tenir la tête droite. L'une des raisons de sa vulnérabilité est le poids de la tête, d'environ 5 kg, qui comprime en permanence les vertèbres cervicales. Les muscles du cou doivent donc être régulièrement étirés et fortifiés – les exercices appropriés sont présentés au chapitre des étirements (voir page 124).

objectif

– Ouverture de la poitrine et des
   épaules et tonification des
   muscles de la poitrine.

préparation

Allongez-vous, genoux fléchis, en tenant un
haltère de 500 g à 1 kg dans chaque main,
paumes tournées vers l'intérieur. Levez les
bras au-dessus de vous, en les gardant
tendus sans bloquer les coudes.

Inspirez, remontez le plancher pelvien et
rentrez le ventre.

En expirant, abaissez très lentement les bras
sur les côtés.

Gardez la position et **inspirez** une petite
quantité d'air.

1 ouverture de la poitrine 2

En expirant, levez de nouveau lentement les bras, en faisant travailler les muscles de la poitrine.

Répétez de 6 à 10 fois.

à surveiller

– Ne détendez pas votre plancher pelvien.
– N'arquez pas le bas du dos.

3

objectif

– Étirement des épaules et fortification du muscle grand dorsal.

préparation

Allongez-vous, genoux fléchis, bras levés, en tenant un haltère entre vos deux mains.

Inspirez, remontez le plancher pelvien et rentrez le ventre.

En expirant, abaissez lentement vos bras derrière la tête.

Gardez la position et **inspirez**.

1 bras au-dessus de la tête 2

Expirez et, en remontant les bras, tirez les muscles du côté du tronc et du dos vers la taille.

Répétez de 6 à 10 fois.

à surveiller

— Assurez-vous que vos épaules, votre cage thoracique et votre dos ne se soulèvent pas du tapis lorsque vous descendez les bras derrière la tête. Ils doivent rester stables.

3

objectif

– Mobilisation des épaules.

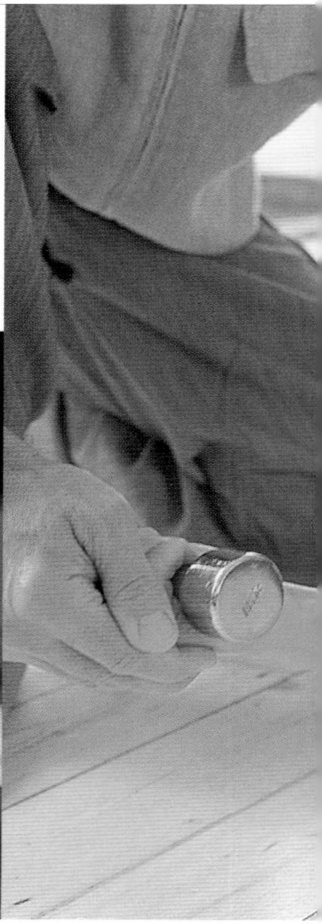

préparation

Partez de la même position que pour l'ouverture de la poitrine (voir page 84), genoux fléchis et bras levés, un haltère dans chaque main, mais cette fois-ci paumes tournées vers le bas.

Remontez le plancher pelvien et rentrez le ventre.

Inspirez et ramenez vos bras le long des hanches.

Tournez les mains pour que les paumes soient dirigées vers le haut.

En expirant, tendez les bras sur les côtés, jusqu'au-dessus de la tête, en ligne avec vos épaules.

1 cercles des bras 2 3

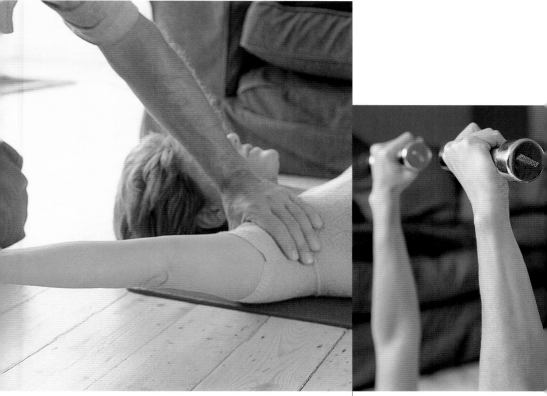

En inspirant, remontez les bras, puis rabaissez-les le long des hanches.

Répétez de 6 à 10 fois, puis inversez la direction.

à surveiller

– Ne bloquez pas les coudes, gardez-les toujours souples.

4

objectif

– Fortification et allongement des rhomboïdes.

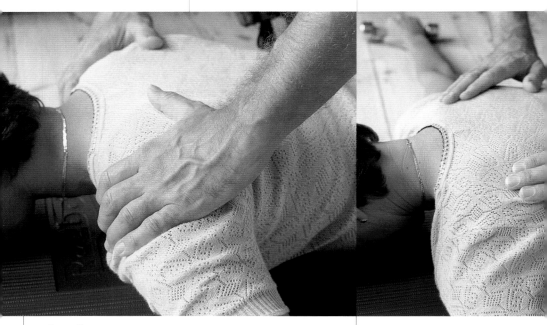

préparation

Allongez-vous sur le ventre sur le tapis d'exercice, bras détendus sur les côtés, mains (tenant les haltères) légèrement au-dessous du niveau des épaules.

Inspirez, remontez le plancher pelvien et rentrez le ventre.

Expirez et tendez les bras sur les côtés.

1 fortification du haut du dos   2

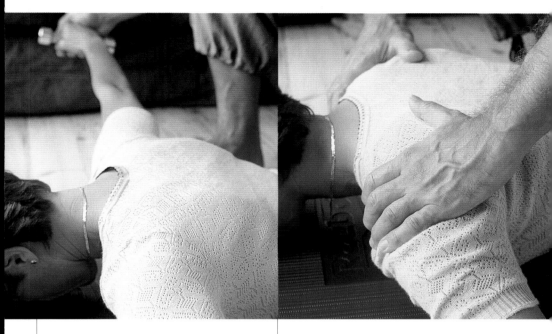

Levez vos mains et vos bras à environ 10 cm du plancher.

Inspirez et abaissez lentement les mains et les bras sur le plancher.

Répétez de 6 à 10 fois.

à surveiller

– Ne contractez pas les omoplates.
– Comme lors de tous les exercices de la partie supérieure du corps, gardez le cou et les épaules détendus.

3

4

Les jambes, et particulièrement les pieds, sont notre soutien et aussi notre connexion avec la terre. Selon les philosophies orientales, l'énergie terrestre, essentielle pour la vitalité, pénètre à travers des points situés sur la plante des pieds. L'absence de mobilité de ceux-ci risque de bloquer la circulation de cette énergie et d'affecter la santé. Sur un plan plus physique, la raideur des pieds et des chevilles gêne le mouvement, y compris la marche, et finit par modifier l'alignement de tout le corps. Par exemple, un problème de cheville peut mener à un mal de dos si, en compensation de l'inconfort physique, le corps adopte des mauvaises postures. Ainsi, la gêne monte par les jambes jusque dans la colonne vertébrale.

Nos jambes sont une source de liberté et d'indépendance physique, offrant certains choix : fuir le danger ou aller vers des amis. Lorsque les membres inférieurs ne travaillent pas correctement, notre mobilité, et souvent nos choix, sont limités. Grâce à un exercice régulier, les jambes nous supporteront.

7 jambes

Jambes et pieds – notre soutien

Les membres inférieurs doivent être exercés principalement pour :

- **fortifier et allonger les muscles**
- **préserver ou accroître la mobilité articulaire**
- **intensifier la circulation**

La circulation est incluse ici parce que la montée du sang par les jambes vers le cœur est l'un des exploits du corps, vu que le sang se déplace contre la force de gravité. L'action régulière des muscles et des articulations de la jambe favorise la montée du sang. Si les jambes ne sont pas suffisamment utilisées, le sang risque de s'accumuler dans les veines, créant de petites poches et étirant les veines, faisant apparaître des varices, parfois douloureuses. Certaines personnes présentent une prédisposition génétique à ces affections, chez d'autres, comme les coiffeurs et les dentistes, elles sont une maladie professionnelle. Les varices peuvent aussi apparaître avec la grossesse. Il y a des moyens simples de compenser les effets de la station debout constante. Les chaussures permettant de fléchir régulièrement les orteils favorisent la circulation, car ce sont surtout les muscles des pieds et des mollets qui poussent le sang vers le haut. Elles conviennent aussi pour les jambes sensibles en général.

Une autre mesure préventive est de s'asseoir, pendant les pauses, avec les pieds élevés au niveau des hanches ou si possible davantage, ce qui stimulera la circulation sanguine.

Vous trouverez ici des exercices se concentrant sur les muscles fessiers. Les masseurs vous diront que chez bon nombre de gens ces muscles accumulent beaucoup de tension. Les fessiers jouent un rôle important dans le soutien de la partie supérieure du corps et dans le maintien de la position verticale. De même, comme les gens restent assis très longtemps, les muscles fessiers sont utilisés plus rarement qu'ils le devraient. Faire travailler les fesses les raffermira, améliorant en même temps leur forme et la posture générale.

Nous tendons à utiliser au maximum les quadriceps. Lorsqu'ils font travailler les jambes, les exercices classiques se concentrent principalement sur ces muscles des cuisses. Toutefois, les quadriceps ne sont pas des muscles posturaux et ne soutiennent pas le bassin. Celui-ci est maintenu par les muscles de la face interne des cuisses et par les ischio-jambiers rattachés à l'articulation du genou et passant sous le bassin. Allongés et fortifiés, ces muscles assurent la stabilité posturale. Chez beaucoup de gens, les muscles ischio-jambiers se sont raccourcis, tout comme les muscles de la face interne des cuisses. Lorsqu'ils tentent d'allonger ces muscles, la plupart des gens les font travailler unidimensionnellement. Le changement ne s'étend pas à l'ensemble du groupe de muscles et l'effort est gâché. Les exercices Pilates mettent l'accent sur le travail tridimensionnel, si bien que l'ensemble du groupe de

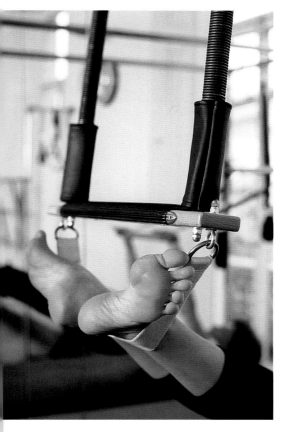

La cellulite n'a pas des remèdes simples, car c'est une accumulation de toxines dans les tissus adipeux. La plupart des experts s'accordent à dire que seuls les changements de régime alimentaire associés à l'exercice éliminent l'effet « peau d'orange », le plus visible sur le haut des cuisses. Le drainage lymphatique et l'aromathérapie sont aussi conseillés pour traiter ce problème.

Exercices des jambes

L'objectif de ces exercices des jambes est de faire travailler les muscles moyens fessiers et les cuisses. Achetez une paire de poids pour les jambes d'environ 1 kg dans un magasin de sport. La plupart sont adaptables, si bien que vous pouvez diminuer et augmenter la charge en fonction de vos capacités. Toutefois, tous les exercices présentés ici peuvent être effectués sans recourir à ces poids. Mieux vaut travailler correctement avec des poids légers que de porter des poids trop lourds.

muscles est allongé et ne risque pas de revenir à son état précédent.

Exercer les jambes aide aussi à prévenir la cellulite et à s'en débarrasser le cas échéant. Celle-ci apparaît indépendamment du poids corporel – la minceur ne vous en protégera pas. Les muscles des hommes constituent environ 42 % de leur poids corporel, la graisse, seulement 18 %. Chez la femme, les muscles comptent pour 36 % du poids corporel, la graisse, pour 28 %, d'où le problème de cellulite. Un ratio plus élevé graisse/muscles est favorable à l'apparition de la cellulite.

objectif

- Fortification des muscles
  moyens fessiers et de la face
  externe de la cuisse.

préparation

Allongez-vous sur le côté droit. Pliez le bras
gauche et posez la main sur la hanche. Pliez
la jambe droite devant vous.

Tendez le bras droit au-dessus de votre
tête, paume tournée vers le haut, reposez la
tête dessus.

Fléchissez vos pieds pour qu'ils forment un
angle droit avec vos jambes, et tendez la
jambe gauche sans bouger les hanches.

Inspirez, remontez le plancher pelvien et
rentrez le ventre.

En expirant, levez la jambe gauche, en
percevant la contraction des muscles fessiers.

1 face externe de la cuisse 2

Inspirez et ramenez la jambe dans la position
de départ.

Répétez de 6 à 10 fois sur chaque côté.

à surveiller

– Faites travailler les muscles de votre plancher pelvien,
  les abdominaux et les fessiers sur l'inspiration et
  l'expiration.
– N'arquez pas le bas du dos, ne tassez la taille.
– Ne poussez pas en avant à vos côtes flottantes.

3

objectif

– Fortification de la face interne
de la cuisse.

préparation

Allongez-vous de nouveau sur le côté, cette
fois-ci en fléchissant la jambe supérieure
et en la ramenant devant vous. Placez deux
oreillers sous cette jambe pour la soutenir et
pour vous aider à maintenir droite la partie
supérieure de votre corps.

Placez votre main gauche sur la hanche
gauche et fléchissez vos pieds pour qu'ils
forment un angle droit avec vos jambes.

Inspirez, remontez le plancher pelvien,
rentrez le ventre et contractez les fesses.

En expirant, tendez la jambe inférieure sans
bouger la hanche et soulevez-la à 15 cm du
plancher.

1 face interne de la cuisse 2

Inspirez et ramenez votre
jambe à la position de
départ.

Répétez de 6 à 10 fois sur
chaque côté.

à surveiller
– Faites travailler les muscles de votre plancher pelvien,
  les abdominaux et les fessiers sur l'inspiration et
  l'expiration.
– N'arquez pas le bas du dos.
– Ne tournez pas la jambe.
– Relaxez le cou.

3

objectif

– Fortification des muscles ischio-jambiers et grands fessiers.

préparation

Allongez-vous sur le ventre, front reposant sur le dos de vos mains, coudes écartés. Si vous avez mal dans le bas du dos, placez un coussin sous votre ventre.

Inspirez en faisant remonter le plancher pelvien et en rentrant les abdominaux.

En expirant, levez une jambe à 10 cm du plancher et maintenez-la tendue. Percevez le travail des ischio-jambiers et des fessiers.

1 2 montée des ischio-jambiers

En inspirant, abaissez lentement votre jambe sur le plancher.

Répétez de 6 à 10 fois avec chaque jambe.

à surveiller

– N'arquez pas le bas du dos, ne faites pas ressortir le ventre.
– Gardez le cou et les épaules détendus.

3

objectif

– Allongement des muscles ischio-jambiers.

préparation

Partez de la même position que pour la montée des ischio-jambiers (voir page 100).

Remontez le plancher pelvien, rentrez le ventre et contractez les fesses.

En inspirant, pliez une jambe et amenez le talon vers la fesse.

1 2

enroulement des ischio-jambiers

En expirant, abaissez lentement votre jambe sur le plancher, en allongeant les ischio-jambiers.

Répétez de 6 à 10 fois avec chaque jambe.

à surveiller

– En expirant et en abaissant vos jambes, concentrez-vous sur l'allongement des muscles ischio-jambiers.
– N'arquez pas le bas du dos.
– Relaxez le cou et les épaules.

3

objectif

- Tonification du muscle grand fessier.

préparation

Allongez-vous sur le ventre. Placez un coussin entre vos cuisses. Posez le front sur le dos de vos mains, coudes écartés.

Inspirez, remontez le plancher pelvien et rentez les abdominaux.

1 contraction des fesses

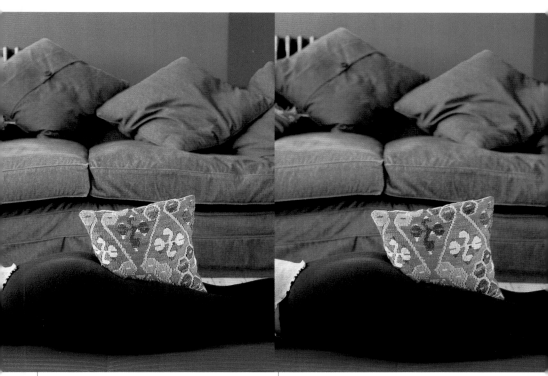

En expirant, contractez les cuisses et les fesses. Maintenez en comptant jusqu'à 6.

Inspirez et détendez les muscles des cuisses et des fesses.

Répétez de 6 à 10 fois.

variante

Partez de la même position, mais tournez les jambes vers l'extérieur pour que les talons se fassent face, puis continuez comme précédemment.

2

3

Combien de matins vous êtes-vous réveillé en vous étirant instinctivement avant même de sortir du lit ? Souvent, l'ensemble du corps participe à cet étirement, qui allonge le dos, les bras et les jambes, sans que vous en ayez conscience. Il se peut même que vous bâilliez en ce faisant – autre action réflexe. Étirer ainsi votre corps est agréable, mais à quel point cela vous fait-il du bien ?

Pilates a conçu sa méthode en partant du principe que les mouvements physiques bénéficient le plus à la santé lorsqu'ils sont effectués consciemment et délibérément. Lorsque nous marchons, sommes assis, nous tournons et nous étirons, nous devons toujours diriger nos mouvements en sachant exactement ce que nous faisons et à quel point cela nous profitera. Ce ne sera qu'alors que nous apprécierons leur valeur.

8 étirements

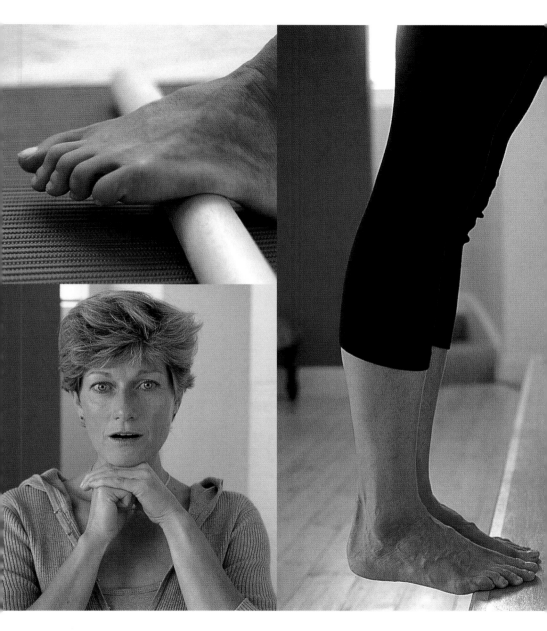

Étirement

L'étirement aide à allonger les muscles et à les détendre. Ceux-ci s'étirent plus efficacement après avoir été échauffés, raison pour laquelle cette séquence d'étirements est placée à la fin du programme d'exercices.

Si on pense aux muscles comme à une bande élastique, il est facile de comprendre l'objectif des étirements. Trop de tension raidit les muscles et suscite fatigue et déprime. La diminution de la tension musculaire grâce à l'étirement confère de l'élasticité au dos et favorise l'harmonisation muscle/articulation. Elle aide aussi à se sentir mentalement plus relaxé, donc plus alerte. **Ce n'est qu'au cours de ces dernières 50 années que la relation entre tension musculaire et état mental a été reconnue et étudiée.** Le travail des personnes comme Joseph H.Pilates et Frederick M. Alexander (1869-1955), concepteur de la technique Alexander, a contribué à mieux la comprendre.

Lorsque nous effectuons des exercices, nous contractons les muscles, comme décrit précédemment. Faire suivre ces contractions avec des étirements aide à rendre les muscles plus élastiques, ce qui leur permet de se contracter plus facilement. Pensez une fois de plus à une bande élastique. Si celle-ci est froide et raide, il sera difficile de la tendre. Si vous la chauffez un peu et continuez à l'étirer doucement, elle s'allongera progressivement de plus en plus. Elle reviendra aussi plus aisément à sa forme précédente une fois qu'elle aura été chauffée, assouplie et étirée. C'est exactement ce que vous faites avec vos muscles lorsque vous vous exercez et vous vous étirez.

Les muscles raides causent nombre de problèmes. Comme les muscles sont interconnectés, une blessure ou une affection n'apparaîtra pas forcément dans la zone raide, mais plutôt dans une zone connexe. Par exemple, les blessures du bas du dos viennent souvent des muscles ischio-jambiers raides, qui restreignent la mobilité de cette zone et y induisent une raideur. S'ils sont extrêmement raides, ils tirent le bassin, suscitant des problèmes posturaux. De même, si les muscles fléchisseurs de la cuisse sont raides, ils tirent le bassin. Lorsque ces effets se combinent, le bassin est tiré en permanence, comme le nœud central d'une corde tirée de deux côtés. Similairement, si une jambe est plus raide que l'autre, le bassin sera soumis de chaque côté à une tension différente, aboutissant à des hanches inégales.

Bien que le poids du corps soit supporté par nos pieds et nos chevilles, les muscles des mollets sont le premier soutien musculaire. Chez la plupart des gens, les muscles des mollets sont raides, ce qui affecte les muscles du dos.

Fréquemment, la mâchoire accumule énormément de tension, résultat direct du stress, car nous serrons les dents, littéralement et métaphoriquement, en réaction à l'irritation suscitée sans cesse par notre environnement. Très souvent, il s'agit d'une réaction auto-

matique inconsciente. La tension de la mâchoire peut descendre dans le cou et les épaules, puis dans le dos.

Douleur

L'étirement des muscles doit laisser le senti- ment d'un « inconfort confortable ». La sen- sation doit être celle d'un allongement, pas d'une déchirure. Si vous ressentez une douleur fulgurante, arrêtez immédiatement l'exercice, sinon vous risquez de subir des dommages.

Si vous n'avez pas fait d'exercice depuis un certain temps, si vous êtes raide et tendu, vous éprouverez une certaine douleur lors des étirements. Toutefois, si vous avez pratiqué le programme de stabilisation du centre avant de vous étirer, vous constaterez que les exercices suivants sont bien plus faciles que les précédents, qui ont échauffé les muscles et les ont déjà quelque peu étirés. Si vous avez des doutes quant à la douleur que vous ressentez, consultez un médecin et votre instructeur de Pilates.

objectif
– Allongement des ischio-jambiers et étirement du bas du dos.

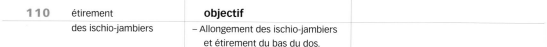

préparation

Placez vos fesses sur le bord d'un bureau ou le bras d'un canapé, suffisamment pour soutenir votre bassin.

Placez un tabouret devant vous et posez un talon dessus. Le tabouret doit être assez près pour que vous n'ayez pas à étirer la jambe pour l'atteindre.

Fléchissez le pied surélevé vers le haut. Croisez vos mains derrière le dos, ne les utilisez pas pour soutenir votre poids. Allongez la colonne vertébrale et gardez la poitrine ouverte.

Inspirez, remontez le plancher pelvien et rentrez les abdominaux.

En gardant le dos droit, **expirez** et penchez-vous en avant depuis les hanches aussi loin que vous le pouvez.

Gardez la position pendant **5 cycles respiratoires** longs et lents.

1 étirement des ischio-jambiers 2

Expirez et remontez.

Répétez 5 fois avec chaque jambe.

à surveiller

– Ne penchez pas le cou en avant.
– Gardez les épaules ouvertes et relaxées.
– Ne tournez les hanches, ni la colonne
   vertébrale.

Tournez le pied surélevé vers l'extérieur et
répétez l'exercice. Cela étirera la fesse et la
face externe des muscles ischio-jambiers.

Tournez le pied surélevé vers l'intérieur et
répétez, pour étirer la face interne des
muscles ischio-jambiers.

3

variante

objectif

– Allongement des muscles du mollet.

préparation

Debout et en vous tenant d'une main à un support, placez la partie charnue de vos pieds sur le bord d'une marche.

Remontez le plancher pelvien et rentrez le ventre. Vérifiez que votre dos n'est pas arqué.

En expirant, abaissez les talons aussi loin que vous le pouvez.

Gardez la position pendant **6 cycles respiratoires**.

1 étirement du mollet   2

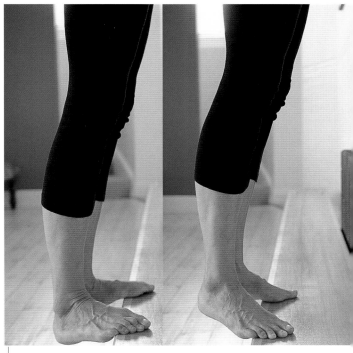

Remontez de nouveau les talons pour que vos pieds soient parallèles au plancher.

Répétez de 3 à 6 fois.

Répétez l'exercice avec les pieds tournés d'abord vers l'extérieur, puis vers l'intérieur.

à surveiller

– N'arquez pas le dos.
– Si vous percevez une tension dans le bas du dos, effectuez uniquement 4 répétitions, et soutenez-vous avec vos abdominaux et vos fessiers.

3

variante

objectif

– Assouplissement des fessiers, qui jouent un rôle important dans la santé du bas du dos.

préparation

Allongez-vous sur le tapis d'exercice, hanche et genou droits formant un angle de 90°.

Pliez votre jambe gauche et posez la cheville sur le genou droit ou juste au-dessous de celui-ci.

Tenez la cheville gauche en gardant la tête à plat sur le plancher. Si nécessaire, placez une serviette roulée ou un petit oreiller sous votre tête.

Inspirez, remontez le plancher pelvien et rentrez les abdominaux.

étirement des fesses

En expirant, amenez légèrement la cheville gauche vers vous, en bougeant aussi la jambe droite. Vous percevrez l'étirement des muscles de la fesse gauche.

Maintenez cette position pendant **5 cycles respiratoires** longs et lents.

Répétez avec l'autre jambe.

Répétez de 3 à 6 fois sur chaque côté.

à surveiller

– Ne soulevez pas le coccyx.
– Ne bougez pas le bassin.

2 3

objectif

– Allongement des quadriceps.

préparation

Allongez-vous sur le côté et pliez la jambe inférieure vers le tronc. Plus vous pouvez la placer haut, mieux les muscles s'étireront.

Inspirez, remontez le plancher pelvien et rentrez le ventre.

En expirant, attrapez la cheville de votre jambe supérieure et tirez-la derrière vous vers la fesse. Percevez les quadriceps s'étirant sur vos cuisses.

1 étirement des quadriceps 2

Gardez la position pendant **5 cycles respiratoires**, puis relâchez votre cheville et ramenez la jambe à la position de départ.

Répétez de 3 à 6 fois sur chaque côté.

à surveiller

– N'arquez pas le dos.
– Avancez lentement le bassin. Cela protégera votre dos et accroîtra l'étirement de vos quadriceps.

3

objectif

– Assouplissement des muscles
fléchisseurs des hanches.

préparation

Tenez-vous debout face à un mur.
Rapprochez votre jambe gauche du mur,
tout en gardant les jambes droites.

Posez les deux mains sur le mur, sans que
les bras soient tendus.

Inspirez, remontez le plancher pelvien et
rentrez le ventre.

Rentrez le bassin, fléchissez la jambe droite et
percevez l'étirement de la face antérieure de
celle-ci.

1 étirement de la hanche 2

Gardez la position pendant **5 cycles respiratoires,** puis revenez à la position de départ.

Répétez de 3 à 6 fois sur chaque côté.

3

objectif

– Étirement du haut de la poitrine.

préparation

Agenouillez-vous et placez un coussin entre vos genoux et vos mollets.

Comprimez le coussin et serrez les mains derrière votre dos, au niveau des fesses.

Inspirez, remontez le plancher pelvien et rentrez le ventre.

En expirant, tirez vos épaules en arrière et contractez les omoplates, en imaginant que vous les tirez en arrière à partir du centre de votre sternum.

1 étirement de l'épaule 1 2

Tendez vos mains serrées loin de vos fesses.

Gardez la position pendant **3 cycles respiratoires**.

Répétez de 3 à 6 fois.

3

objectif

– Allongement du muscle grand
dorsal et étirement du milieu du
dos.

préparation

Agenouillez-vous comme
pour l'étirement de
l'épaule 1 (voir page 120),
mais avec les mains le long
du corps, paumes tournées
vers l'avant.

Remontez le plancher
pelvien et rentrez le ventre.

En inspirant, levez les
bras au-dessus de votre
tête, paumes tournées vers
l'avant.

En levant les bras,
le mouvement part
d'au-dessous du grand
dorsal.

Poussez les épaules et les
omoplates, et fléchissez les
mains en arrière.

1 étirement de l'épaule 2 2 3

En expirant, gardez les épaules hautes et les mains fléchies. Redescendez les bras jusqu'à ce que les mains soient tendues devant vous à hauteur d'épaules.

Gardez les épaules au même niveau.

Détendez les épaules.

Ramenez vos bras le long du corps.

4

5

6

objectif

– Étirement et détente des muscles du cou.

Asseyez-vous sur le bord d'un siège ou d'un lit. Rentrez le menton sur la poitrine.

Fondez comme un cube de glace depuis la poitrine et les abdominaux, en laissant la colonne vertébrale s'affaisser en avant.

Gardez la position pendant **10 à 30 cycles respiratoires** longs et lents.

Répétez de 1 à 3 fois.

Asseyez-vous sur le bord d'un siège ou d'un lit.

Penchez l'oreille gauche vers l'épaule, aussi loin que c'est confortable.

Gardez la position pendant **10 à 30 cycles respiratoires** longs et lents.

Répétez du côté gauche.

Répétez de 1 à 3 fois.

étirement du cou

variante

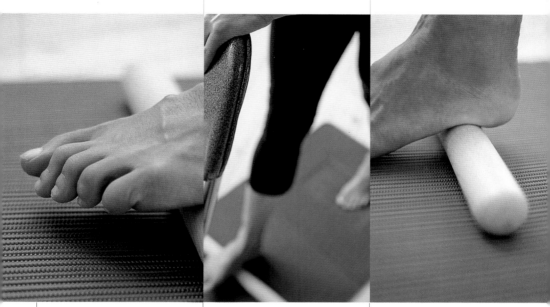

objectif

- Massage et étirement des muscles des pieds.

En vous tenant à une chaise pour garder l'équilibre, placez vos orteils sur un rouleau à pâtisserie et appuyez fermement dessus.

Placez le poids de votre corps sur le rouleau à pâtisserie et faites rouler lentement la plante de votre pied dessus, des orteils jusqu'au talon.

Roulez de nouveau lentement en arrière, depuis le talon vers les orteils.

Répétez de 6 à 10 fois avec chaque pied.

1 étirement du pied 2 3

objectif

– Libération de la tension dans la mâchoire, qui aidera à détendre le cou.

Serrez le poing droit et entourez-le de votre main gauche.

Reposez votre menton sur vos mains.

Ouvrez la bouche jusqu'à ce que les dents soient distantes de la largeur d'un doigt.

Gardez la mâchoire supérieure immobile tout en poussant la mâchoire inférieure dans vos mains, générant une résistance active.

Maintenez en comptant jusqu'à 10.

1 étirement de la mâchoire 2

Répétez l'étirement de la mâchoire avec la bouche ouverte de deux doigts de largeur.

Maintenez en comptant jusqu'à 10.

Répétez, cette fois-ci avec la bouche aussi largement ouverte que vous le pouvez.

Maintenez en comptant jusqu'à 10.

variante

Crédits photo

AKG, London 33 haut, 33 centre
Kingston Museum & Heritage Service/Eadweard Muybridge Collection: Kingston Museum 13 haut gauche, 32
Toutes les autres photographies
Octopus Publishing Group Ltd/Mark Winwood

Directeur exécutif Jane McIntosh
Directeur de production Sharon Ashman
Designer principal Rozelle Bentheim
Designer Louise Griffiths
Photographie spéciale Mark Winwood
Modèle Katarina Thome
Iconographie Zoë Holtermann et Jennifer Veall
Contrôleur principal de production Jo Sim
Illustration scientifique Philip Wilson